Depois do suicídio

Dra. Sheila Clark
com contribuições de Diane, Graeme, Kate, Marg e Sandi

Depois do suicídio

Apoio às pessoas em luto

Prefácio
Mal McKissock

Tradução
Marcello Borges

São Paulo
2007

"Translated from" *After suicide – Help for the bereaved.*
First published in Australia by Michelle Anderson Publishing Pty Ltd
PO Box 6032 – Chapel Street North – South Yarra 3141 – Melbourne, Australia

Diretor Editorial
Jefferson L. Alves

Diretor de Marketing
Richard A. Alves

Gerente de Produção
Flávio Samuel

Assistente Editorial
Ana Cristina Teixeira

Tradução
Marcello Borges

Revisão
Ana Cristina Teixeira
Rosa Maria Varalla

Foto de Capa
Age Fotostock / Keystock

Projeto Gráfico
Reverson R. Diniz

Dados Internacionais de Catalogação na Publicação (CIP)
(Câmara Brasileira do Livro, SP, Brasil)

Clark, Sheila
Depois do suicídio : apoio às pessoas em luto / Sheila Clark ; com contribuições de Diane... [et al] ; prefácio Mal McKissock ; tradução Marcello Borges. – São Paulo : Gaia, 2007.

Título original: After suicide : help for the bereaved.
Bibliografia
ISBN 978-85-7555-121-9

1. Luto – Aspectos psicológicos 2. Pesar – Aspectos psicológicos 3. Suicídio – Aspectos psicológicos 4. Vítimas de suicídio – Relações familiares I. McKissock, Mal. II. Título.

07-1497 CDD-155.937

Índices para catálogo sistemático:

1. Suicídio : Aspectos psicológicos 155.937

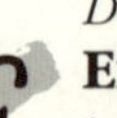

Editora Gaia ltda.
(pertence ao grupo Global Editora e Distribuidora Ltda.)

Rua Pirapitingüi, 111-A – Liberdade
CEP 01508-020 – São Paulo – SP
Tel.: (11) 3277-7999 – Fax: (11) 3277-8141
e-mail: gaia@editoragaia.com.br
www.globaleditora.com.br

Nº de catálogo: **2803**

Depois do suicídio

Apoio às pessoas em luto

Este livro é dedicado a todos aqueles que perderam um ente querido
por suicídio e a Richard, Cameron, David, Neil e Joel,
cujas influências ainda vivem.

Agradecimentos

Eu não poderia ter escrito este livro sem as experiências que me foram transmitidas por todas as pessoas que conheci por intermédio do Bereaved Through Suicide Support Group (Grupo de Apoio aos Enlutados pelo Suicídio) de Adelaide. Agradeço-lhes por terem partilhado a dor que sentiram e por me ensinarem tantas coisas. Agradeço particularmente a Diana, Graeme, Kate, Marg e Sandi pela ajuda especial.

São muitos os que contribuíram de diversas formas, aos quais desejo agradecer. O Sr. Harold Jones foi fundamental para o início deste livro, ao me ouvir e confiar-me essa tarefa. Os demais membros do Conselho de Orientação Profissional do grupo me ajudaram em suas áreas de especialização: Sr. Bevan Craig, Sra. Anne Graham, Prof. Robert Goldney, Dr. Graham Martin, Sr. Tony Monte e Sr. Greg Rice.

Diversas pessoas leram o manuscrito e fizeram comentários úteis: Sra. Anne Marley, Dr. John Marley, Kate Treharne, Reverendo Baldwin Van der Linden, Dr. Christopher Wurm, Frei Andrew Zerafa SJ e os vários institutos de medicina legal do Estado. Agradeço a Jamie Anderson, que fez um excelente trabalho de edição em meu texto básico, tornando o livro bastante agradável de se ler.

Christopher e Wendy Pullin proporcionaram-nos um refúgio durante a preparação final do livro.

A Universidade de Adelaide auxiliou na produção do manuscrito, em especial na pessoa de Sue Hickey, antes no Departamento de Medicina da Comunidade e Leanne Bragg e Lisa Cameron, do Departamento de Clínica Geral. Minha irmã, Pat Swell, que pesquisou os grupos de apoio do Reino Unido.

As editoras relacionadas a seguir deram a permissão para citações: Aaron, para *Reflection*; Beacon Press, para *Man's search for meaning*, de Viktor Frankl; William Heineman Ltd, para *O profeta*, de Kahlil Gibran, *O prelúdio*, de William Wordsworth e *Ulisses* de Alfred Lord Tennyson; National Association for Loss and Grief (New South Wales), para *Helping the bereaved.*

Por último, mas não menos importante, agradeço à minha família, Bruce, Elizabeth, Rebecca e Abigail, por todas as horas que me pouparam.

Sumário

Prefácio

O desespero e a angústia mental que surgem após a morte de uma pessoa querida são caóticos, imprevisíveis e incomuns em sua intensidade passional.

Nesse momento, quando as pessoas desoladas questionam sua própria sanidade e capacidade de sobreviver, fica difícil acreditar que o luto é uma reação natural e saudável à perda. Não é uma doença e não requer "tratamento".

A expressão exterior do luto assume muitas formas. Ela também depende de nosso próprio caráter, de nossa personalidade antes da perda, da relação que tínhamos com a pessoa que morreu, de mensagens que recebemos na infância sobre a expressão de emoções e do tipo de apoio disponível.

Quando a morte se deu por suicídio, fatores como estigma social, medo, culpa e auto-acusação podem afetar o apoio que nos oferecem, bem como nossas reações. A maioria das pessoas se sente sozinha e isolada por certo tempo durante o luto e essas emoções são intensificadas caso a pessoa enlutada se sinta estigmatizada ou culpada.

O ajuste à vida sem a pessoa que morreu pode parecer uma tarefa longa e árdua, e ainda mais difícil caso tenha de ser enfrentada sem companhia. A Dra. Clark escreveu este livro para que as pessoas enlutadas pelo suicídio sintam que têm apoio e que recebem informações sobre os recursos que lhes serão úteis quando mais precisarão de ajuda.

A maioria das pessoas enlutadas sente-se tentada a amenizar o luto por meio de bebidas, analgésicos ou tranqüilizantes e soníferos vendidos com receita médica. Embora proporcionem alívio temporário, o uso prolongado de substâncias que alteram o humor complicam inevitavelmente o processo de recuperação, tanto no campo físico como no emocional.

Como sugere a Dra. Clark, a procura por aconselhamento e/ou grupos de apoio a enlutados pode ser uma alternativa salutar. Conversar com pessoas praticamente desconhecidas a respeito de uma experiência pessoal intensa pode, de início, parecer incomum ou desagradável, mas vale lembrar que, ao longo da história, as pessoas que passaram por eventos dolorosos procuraram conselheiros e grupos de apoio. Tradicionalmente, os anciãos da tribo tinham a função de "conselheiro". "Círculos de cura" proporcionaram importantes rituais de recuperação e de integração à vida social. Somos basicamente animais gregários, e aparentemente lidamos melhor com a adversidade quando não precisamos "lidar sozinhos" com ela.

Contar histórias é uma parte importante do processo de recuperação. É fundamental poder repetir várias vezes os eventos que levaram à morte e que a cercaram, bem como o efeito dessa morte sobre a vida da pessoa enlutada.

As pessoas podem fazer perguntas sobre o suicídio por diversas razões, inclusive por curiosidade, mas é raro ouvir perguntas sobre a vida da pessoa que morreu. Quando alguém se importa o suficiente para dizer "fale-me dele/dela", podemos tornar a vivenciar sua existência e os pontos altos e baixos que partilhamos com ela. Ao fazê-lo, pouco a pouco reduzimos a intensidade de nossa dor e, como escreve a Dra. Clark, "as lembranças se tornam seus tesouros".

Com o tempo, você vai perceber que não tem algumas informações necessárias. Talvez precise fazer perguntas à polícia, ao pronto-socorro, aos médicos, enfermeiros ou à funerária. A julgar por minha experiência, eles costumam ser bastante acessíveis e fornecem toda informação de que dispõem, falando com sensibilidade sobre como lidam com a morte ou com os eventos que a cercam.

As pessoas próximas a você podem tentar desencorajá-lo a fazer perguntas, achando que "isso só vai aborrecê-lo".

Sua necessidade de saber o máximo que puder é normal e saudável. O "aborrecimento" que sente se deve ao fato de uma pessoa querida ter se matado, não às perguntas que você faz.

Por mais que a polícia, o pessoal do pronto-socorro e outros colaborem, talvez restem algumas perguntas sem resposta: "Por que ele/ela fez isso?" O apoio profissional pode ajudá-lo a conviver com perguntas sem resposta como essa.

As necessidades de cada pessoa enlutada são específicas; não existe uma receita universal para a sobrevivência e, com certeza, não existe nenhuma que elimine a dor da separação de um ente querido.

Entretanto, existem pessoas que podem acompanhá-lo em sua jornada através da dor, para que você não se sinta tão só.

Ao ler o livro da Dra. Clark, você deverá perceber que coisas diferentes são importantes em momentos diferentes. Se acompanhar as "luzes de sinalização" que ela sugere, sua jornada poderá parecer menos difícil, e seu destino mais fácil de se alcançar.

Mal McKissock,
Bereavement CARE Centre
41 The Boulevarde
Lewisham
New South Wales

Reflexão

Redigida e lida no enterro de Joel por seu irmão.

Ele é nosso irmão caçula, ele é nosso irmão mais velho, ele é nossa irmã, mãe e pai. Ele é nosso melhor amigo e um completo estranho. Ele é nosso inimigo e nosso aliado, a raiva e a alegria, a tristeza e a indiferença. Ele é a confusão. Ele é uma tatuagem que nunca poderá ser removida.

Ele é o ar que respiramos, as aves no céu; a terra que aramos e todas as criaturas, grandes e pequenas, que caminham sobre ela. Ele é o mar, os rios e os lagos e a chuva e a vida que há neles. Ele é o sol, a lua e as estrelas, o vento nas árvores e as próprias árvores. Como um galho que não consegue se manter na árvore e se parte, cai na terra durante a tempestade e se torna parte da terra, torna-se parte de nós. Ele é todas as coisas.

Os caminhos deste mundo são tão cruéis quanto belos, e as balanças do universo são insondavelmente delicadas. A vida não significa nada, e no entanto significa tudo. Fazemos todos parte de um círculo infindável, no qual só há duas garantias, a morte e as mudanças.

Uma das maiores verdades é que a vida é sofrimento. É uma das maiores verdades porque, depois que realmente percebemos essa verdade, nós a transcendemos. Depois que aprendemos que a vida é sofrimento e aceitamos esse fato, então a vida não é mais sofrimento. Uma vez aceito isso, o fato que ela é difícil não tem mais importância. Coisas que magoam nos instruem, e apenas pelo conhecimento da dor e da perda é que identificamos o inexplicável fenômeno do amor. O amor é grande demais para ser compreendido, medido ou limitado pela estrutura das palavras.

Não vou tentar descrever os sentimentos que minha família e amigos tiveram e têm por meu irmão, nosso irmão, nosso filho. Mas o amor é risco, e o amor é dor. Ame qualquer coisa viva e ela perecerá. O preço do amor é a dor. Se não estivermos determinados a correr o risco de sofrer, então devemos deixar de lado muitas coisas: casar, ter filhos, o êxtase do sexo, a esperança da ambição, amizade, alegria e amor – tudo que dá à existência vida, sentido e significado.

Mude em qualquer dimensão, e a dor, bem como a alegria, serão sua recompensa. Uma vida plena, a qualquer instante, será plena de dor e alegria. A essência da vida é a mudança. Escolha a vida e o crescimento e você escolhe a mudança, a perspectiva da morte. Não tema aquilo que você não entende.

Se pudermos viver com a informação de que a morte é nossa companhia constante, viajando sobre nosso ombro esquerdo, então ela poderá se tornar nossa aliada, ainda temível, mas sempre uma fonte de sabedoria. Com os conselhos da morte, a consciência permanente do limite de tempo de que dispomos para viver e amar, poderemos sempre ser orientados para aproveitar melhor nosso tempo e viver a vida plenamente.

Quando nos esquivamos da morte, a natureza sempre mutável das coisas, nós nos esquivamos inevitavelmente da vida. Assim, na morte, Joel, nosso irmão, nosso filho e aluno, tornou-se vida, pai, mãe e professor.

Quando estiver triste, olhe no fundo de seu coração e perceba que, na verdade, você está chorando por aquilo que lhe trouxe deleite. A coisa mais difícil de se lidar é a perda.

Erros e enganos existem apenas aos olhos do homem, mas no que concerne ao universo, eles nunca existiram e nunca existirão. Em seu próprio nível, os erros são o que são, mas a última palavra ainda será a do silêncio do universo em seu constante desenvolvimento.

Em sua confusão, talvez Joel não tenha percebido a magnitude de seus atos, mas do caos surge a ordem e da confusão a harmonia.

Nas palavras de Kahlil Gibran:

> *Pois, que é morrer senão expor-se, desnudo, aos ventos e dissolver-se ao sol?*
> *E que é cessar de respirar senão libertar o hálito de suas marés agitadas, a fim de que se levante e se expanda e procure a Deus livremente?*
> *É somente quando beberdes do rio do silêncio que podereis realmente cantar.*
> *É somente quando atingirdes o cume da montanha que começareis a subir.*
> *É quando a terra reivindicar vossos membros que podereis verdadeiramente dançar.*

(*O profeta,* trad. de Mansour Chalita, Rio de Janeiro, Acigi, p. 78).

A sensação de perda que minha família, minha irmã, minha mãe, meu pai e eu temos é indescritível, assim como a intensidade de nossa paixão. Não espere sentir essa dor para perceber a beleza do que temos e do que nos rodeia. A vida pode ser incrivelmente injusta e há perguntas que nunca são respondidas. Infelizmente, a história não pode ser revertida. O tempo continua a deslizar rumo ao futuro; as coisas acontecem por motivos que só as forças do universo conhecem; não tente explicá-las, apenas as acompanhe. Supere o amor e a dor, exista em prol do homem.

Estamos orgulhosos de você, Joel. Adeus e até breve.

Aaron

Inícios...

Alguém que você amava e por quem se preocupava tirou a própria vida. Talvez você tenha ficado arrasado. Pode ter se sentido chocado, horrorizado. Por que essa pessoa fez isso? Poderia ter feito algo para impedi-la?

Essas e inúmeras outras emoções podem sufocá-lo, fazendo-o sentir-se ferido, indefeso e confuso. Haverá momentos em que você chegará a questionar sua própria sanidade e se perguntará se você ou sua família são as únicas pessoas no mundo a sentir esse trauma. Esses pensamentos são muito normais.

Você não está sozinho. Antes de você, muita gente enfrentou a mesma crise e sobreviveu. Este livro é a compilação dessas experiências.

A morte pelo suicídio pode afetar profundamente a família e amigos mais chegados, mas não apenas esses. Ela também causa dor a conhecidos e a parentes mais distantes, como avós, primos, amigos, professores, colegas de trabalho e terapeutas.

Este livro foi escrito como resposta a muitos pedidos de ajuda feitos por pessoas que passaram pelo luto causado pelo suicídio. Ele tem a intenção de lhe dar alguma compreensão sobre a dor que você está sentindo, e de ajudá-lo a viver novamente de forma plena. Ele também pode ajudar as pessoas que o cercam a compreender suas necessidades.

Por que meu ente querido se matou?

Geralmente, essa é uma pergunta premente, que dá origem a muitas emoções. É comum ter fortes sentimentos de culpa, ou culpar outras pessoas ou circunstâncias. Há muitas teorias a respeito dos motivos que levam uma pessoa a tirar a própria vida.

O modelo sociológico

Este modelo focaliza estresses, como a pressão feita sobre o jovem para se sair bem na escola, atender às expectativas da adolescência, encontrar emprego, formar relacionamentos, dificuldades no trabalho, desemprego e preocupações familiares. Com a maturidade, a aposentadoria, a sensação de inutilidade, a doença e a perda podem desempenhar seu papel.

A teoria da personalidade

A personalidade também foi levada em consideração. O suicídio causou a morte de muitos indivíduos conscientes, sensíveis, artísticos, perceptivos e perfeccionistas. Artistas, escritores, poetas e músicos talentosos se suicidaram. Alguns exemplos: Vincent van Gogh, Virginia Woolf, Tony Hancock e Adam Lindsay Gordon. Será que o estresse da vida foi excessivo para essas almas sensíveis?

Com certeza, muitos dos que se mataram parecem ter sofrido estresse, sentindo-se indefesos, desesperados. Para eles, o suicídio pareceu uma saída plausível. Mas essas teorias não explicam porque algumas pessoas sobrevivem a esses traumas e outras acabam tirando suas próprias vidas.

O modelo médico

Algumas importantes pesquisas recentes da medicina podem ter encontrado uma resposta. Elas mostram que quase todos os que se mataram estavam doentes. Analisando as últimas semanas ou dias que antecederam o suicídio, os médicos encontraram evidências de que essas pessoas estavam sofrendo de doenças mentais, embora nem sempre os sinais dessa doença estivessem aparentes na ocasião. Diversas condições estão implicadas, porém, a mais comum é a depressão, mas também esquizofrenia, alcoolismo e outras dependências de substâncias, além de problemas de personalidade.

Surgem novas evidências de que o suicídio pode resultar de doenças, algumas físicas, como diabetes ou asma, que afetam o cérebro. Na diabetes, por exemplo, há uma deficiência de uma substância química, a insulina, e o corpo não consegue manipular o açúcar. Antes do suicídio, o nível de certas substâncias químicas do cérebro, chamadas neurotransmissores, está baixo, e ele não consegue manipular os pensamentos de forma adequada.

Como funciona o cérebro

Nosso processo mental é realizado no cérebro mediante uma série de mensagens. Elas são codificadas como impulsos elétricos que passam pelos nervos, como mostra o diagrama a seguir.

Como você pode ver, um impulso percorre a extensão do nervo A. Quando ele chega ao final, o nervo emite um sinal que cobre a lacuna até B. Ele o faz liberando substâncias químicas chamadas neurotransmissores (N), que se espalham pela lacuna para estimular e dar início ao impulso em B, e assim por diante.

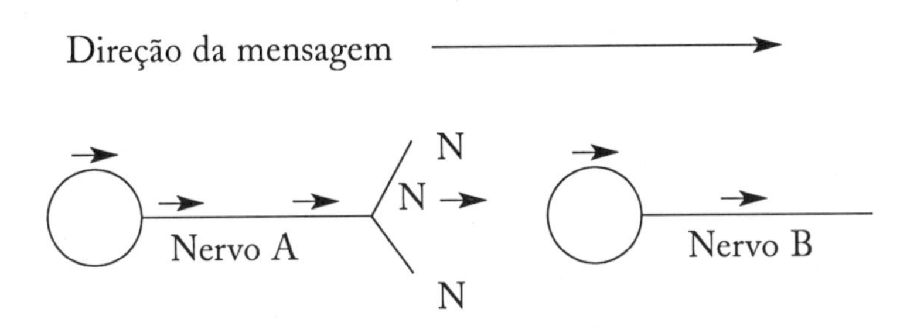

Transmissão de impulsos entre nervos

A depressão clínica é causada por perturbações nesses neurotransmissores. Há mais de 30 anos, sabe-se que dois deles, a adrenalina e a noradrenalina, estão associados a alterações no humor. Recentemente, descobriu-se que níveis baixos de outro neurotransmissor, a serotonina, tem importante papel em suicidas.

Não se sabe perfeitamente o que causa o esgotamento da serotonina, mas acredita-se que um estresse grave, contínuo ou repetitivo, faça parte do quadro.

A falta de serotonina faz com que o cérebro seja incapaz de funcionar adequadamente e pode alterar a percepção da realidade. Isso pode explicar porque as pessoas que estão seriamente decididas a se matar costumam ter dificuldades para se comunicar de forma significativa com entes queridos, em encontrar soluções alternativas ou em acreditar em um final positivo para seu problema.

Foram encontrados baixos níveis de serotonina após a morte por suicídio, qualquer que fosse a doença prévia: depressão, esquizofrenia, alcoolismo ou problemas de personalidade.

E o que dizer dos suicidas que parecem ter sido impetuosos: das decisões aparentemente tomadas no impulso do momento? Também foram encontrados baixos níveis de serotonina nesses casos. Em retrospecto, muitos podem não ter sido tão impetuosos assim quanto se imaginava no início. Um exame acurado do período que antecedeu a morte pode fornecer pistas que indicam que o ente querido estava desesperado ou fazendo preparativos. Pode até ser que o comportamento fosse diferente, de forma sutil ou inexplicável. Essas pessoas podem ter tido conversas de coração para coração, ou dado algum bem pessoal muito especial, como forma velada de dizer adeus. Sabendo-se do resultado final, esses sinais podem ser fáceis de se identificar, mas talvez não tenham parecido incomuns na época.

O suicídio pode ser considerado a conseqüência de uma doença física que afeta o cérebro, embora possa haver a participação de fatores sociais e pessoais. No momento, pouco sabemos sobre formas de diagnosticar o risco de suicídio antes de sua ocorrência, mas com o tempo e novas pesquisas talvez isso seja possível.

Por que não percebi
que isso iria acontecer?

Você deve estar dizendo para si mesmo:

"Conhecia essa pessoa há tanto tempo que devia ter percebido o que ela iria fazer."

As mudanças de comportamento que levam ao suicídio são graduais. É extremamente difícil identificá-las e perceber em que momento elas se tornam significativas.

Depois que a pessoa decidiu se matar, parece se esforçar para disfarçar seu estado das pessoas que a rodeiam, pois elas é que poderiam, com maior probabilidade, descobrir seus planos e interrompê-los.

Até médicos especializados nesse campo têm dificuldade de perceber o momento extremo.

É possível sobreviver?

Muitas pessoas sentem uma dor emocional tão intensa após o suicídio de um ente querido que se perguntam se irão conseguir sobreviver. Com certeza, é possível sobreviver, como descobriram aquelas que contribuíram para este livro.

Talvez você tenha dificuldade para acreditar nisso agora, mas seu luto não permanecerá para sempre. Ele irá mudar à medida que você lida com ele e você se sentirá mais à vontade com relação à sua perda. Se decidir, poderá sair dessa experiência como uma pessoa plena, integrando essa vivência em sua vidas e tornando-a mais significativa para si mesmo e para os outros. Na verdade, a influência dessa pessoa querida ainda estará viva.

Por que o luto dos outros é diferente do meu?

É normal que pessoas diferentes vivenciem o luto de maneiras diferentes, mas geralmente isso dá margem a muitos mal-entendidos.

Alguns evitam falar de um ente querido por medo de perturbar os outros. Com isso, sentem-se isolados. Podem até fingir que essa pessoa querida não existiu. Isso pode ser doloroso, e muitos sentem o desejo de falar à vontade sobre essa pessoa querida, de saber que sua existência teve algum sentido. Famílias que conseguiram passar pelo luto unidas descobriram que isso reconforta e sustenta; essa partilha fortalece a unidade familiar e ajuda a manter viva a influência da pessoa que se foi. No entanto, nem sempre isso é possível. Nem todas as famílias conseguem ser tão abertas.

Algumas pessoas acham que seu luto é uma coisa tão íntima que não deve ser motivo de conversa. Podem ter medo de revelar suas verdadeiras emoções, de ter crises de choro ou de que pensem que ela é fraca. Podem imaginar que a intensidade de seu luto é anormal.

Abra o canal de diálogo dizendo-lhes como você se sente, verbalmente ou por escrito. Deixe aberta a página de seu diário descrevendo seus sentimentos. Assim, elas não vão achar que há algo de errado com elas.

É normal que algumas não queiram falar, mas será reconfortante saberem que você está por perto.

Como diferentes relacionamentos afetam o luto?

A mãe pode experimentar o luto diferentemente do pai em virtude do vínculo físico que teve com a criança.

A experiência do pai:

"Fiquei p... da vida por saber que tão poucos homens estão preparados para admitir que sentem uma dor muito grande."

A experiência do irmão:

"Para mim, não perdi um irmão, perdi meu melhor amigo."

Às vezes, irmãos que perdem outro sentem erroneamente que seu luto deve ser menos intenso que o de seus pais. Namorados podem se sentir rejeitados pela família, ou o bode expiatório do suicídio.

Os jovens tendem a subestimar suas necessidades e costumam ser negligenciados. Precisam de liberdade para expressar seu luto à sua própria maneira que pode ser diferente da maneira dos demais.

Famílias formadas por diferentes uniões observam que a morte de uma pessoa de um casamento anterior causa diferentes níveis de luto em pessoas diferentes. Surgem dificuldades para compreender a quantidade de suporte de que cada um necessita. O luto por um ex-cônjuge pode provocar ciúmes e mal-entendidos em um relacionamento atual. Você pode sentir ainda mais a perda ao perceber que o novo companheiro não consegue lidar com o seu luto e poderá se sentir abandonado. (O novo companheiro também terá dificuldades.)

Outros familiares, amigos e associados também podem experimentar profundamente o luto sem saber porque sentem emoções tão fortes. Eles também perderam uma pessoa importante e naturalmente se sentem desoladas.

O desejo sexual pode se alterar após uma perda. A libido oscila muito. Se isso não for compreendido, pode causar tensão nos relacionamentos.

Como lido com a minha dor?

Você deve estar se perguntando o que precisa fazer para enfrentar seu luto. O processo do luto é como uma jornada que vai do ponto inicial de seu luto até uma nova vida. Sua jornada pode ser vista como uma linha em um mapa.

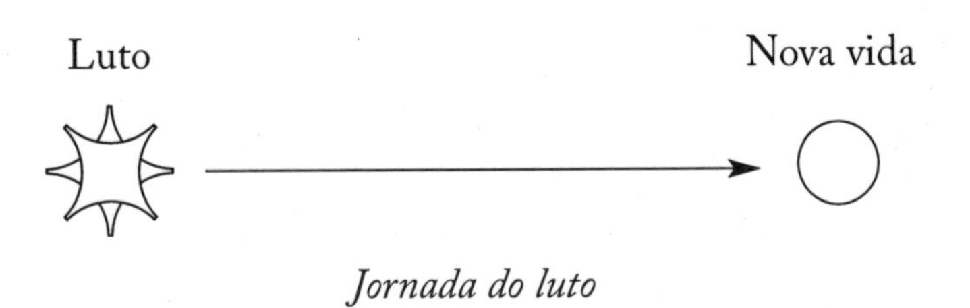

Jornada do luto

Você vai progredir através do luto à medida que lidar com seus sentimentos. Freud dava a isso o nome "trabalho do luto".

Momento do luto

Reserve-se quinze a vinte minutos de luto todos os dias. Assegure-se de que estará sozinho e ligue a secretária eletrônica para não ser perturbado. Esse momento serve de válvula de escape. Nele, você pode lidar com quaisquer emoções que tenha acumulado.

Se quiser, use diferentes modos de trabalhar o luto nesses momentos: pensar, chorar, rezar, meditar, escrever ou desenhar.

Talvez queira fazer um diário: registre suas emoções, seu luto e as recordações do ente querido. Com isso, irá perceber que o luto muda ao longo do tempo e servirá de prova de seu progresso. Mantenha o diário em um lugar seguro; as recordações de seu ente querido registradas por você ser-lhe-ão preciosas no futuro.

Como alternativa, você pode lidar melhor com imagens ou diagramas.

Para muitos, o choro alivia. Em vez de indicarem fraqueza, as lágrimas costumam ser sinal de força e mostram que você está preparado para lidar com seu luto. Para outros, é difícil chorar ou ansiar pelas lágrimas para aliviar seu luto.

Procure ajuda

O processo pode parecer longo e solitário; por isso, encontre alguém em quem confie, como um parente ou amigo.

Se tiver dificuldade para encontrar uma pessoa adequada, seu médico ou o centro de saúde comunitário de sua região podem auxiliar, recomendando um especialista em luto. Para algumas pessoas é útil conhecer a experiência de alguém que esteve em uma situação similar, e por isso há uma lista de grupos de apoio ao suicídio no final deste livro.

ASSISTÊNCIA AO LUTO:

Família.
Amigos.
Conselheiro.
Bicho de estimação.
Grupo de apoio.
Diário.
Desenhos.
Preces.

A jornada do luto

Inicialmente...

No começo, você poderá se sentir muito chocado e confuso. Pode ser que tudo pareça um sonho ruim. Talvez se sinta culpado. Talvez você ache que só consegue viver um minuto por vez, dia após dia. Talvez seja preciso lidar com a polícia, com legistas e com a funerária justamente num momento tão íntimo de sua vida. Talvez você tenha de entrar em contato com o local de trabalho ou de estudos de seu ente querido e enfrentar perguntas de amigos ou vizinhos. O que devo dizer? Tento esconder que foi um suicídio? (Ver "Vergonha" no capítulo *Entendendo suas emoções* e "O que dizer aos outros" no capítulo *Alguns pontos práticos*).

Depois do enterro... o irreal

Depois do enterro, você poderá estranhar o fato do luto piorar, em vez de melhorar. Poderá sentir que a separação do seu ente querido fica mais dolorosa depois que o corpo físico é enterrado ou cremado. Talvez sinta que seu ente querido está muito distante de você.

É possível que você enfrente a natureza irreal da morte todas as vezes em que se defrontar com uma situação que envolva o ente querido. Poderá, ainda, enfrentar várias vezes a dor de saber que ele não vai mais voltar.

Três a quatro meses...

Depois de três ou quatro meses, você atinge um ponto crítico do luto, pois a realidade – seu ente querido não vai mais voltar – bate de frente em você. Para muitos é bem difícil aceitar esse fato. Para alguns leva muito mais tempo. Talvez lute contra o fato, chore, anseie e esperneie.

Talvez se assuste por se esquecer das lembranças de seu ente querido, por ocasionalmente não conseguir se lembrar de seu rosto. Você nunca perderá essas lembranças. Elas ficaram ocultas durante algum tempo e tornarão a emergir mais tarde. Você se apegará a elas e elas serão muito preciosas. Essa será a nova maneira do seu ente querido estar presente. Mas pode ser bem difícil chegar a aceitar isso.

É possível que receba constantes e sutis lembretes de que sofreu uma perda. Não há mais telefonemas nem visitas. Você vê os amigos da pessoa querida vivendo normalmente. Pode ser que o apoio de familiares e amigos vá diminuindo, pois eles saíram do luto e estão tocando a vida, esperando que você faça o mesmo. Talvez você se sinta muito, muito solitário.

Provavelmente, você se sinta exausto, física e emocionalmente. É comum que os mecanismos corporais que promovem as respostas de suporte estejam esgotados. E, por incrível que pareça, a maioria das pessoas espera que você já tenha se recuperado nessa época. É uma boa ocasião para visitar seu médico. Sua saúde pode ser avaliada e você terá a oportunidade de verificar se precisa de mais ajuda.

Nesse momento, terá a sensação de que a jornada do luto atingiu um ponto baixo, como mostra o diagrama.

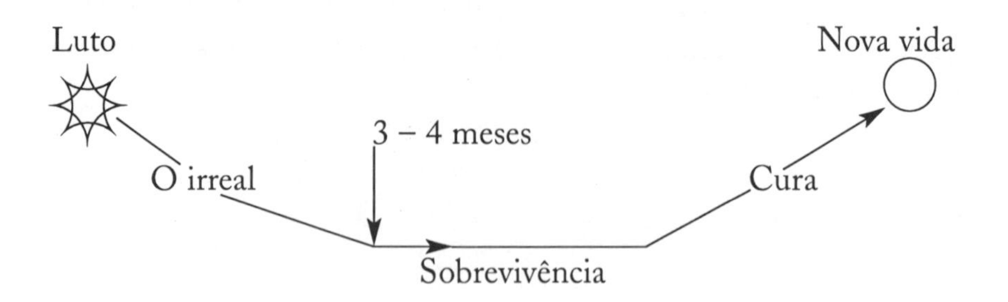

Mas as coisas não vão ficar assim...

Sobrevivência...

Com o passar dos dias, você perceberá que o luto começa a passar e vai se surpreender com o fato de que a vida recuperou a normalidade. Você passará por bons e maus dias; será bem normal a oscilação entre extremos de força e desespero. Com o tempo, haverá mais esperança e menos momentos de tristeza, e estes serão cada vez mais escassos.

Cura...

Nos primeiros estágios, terá dificuldade para acreditar que seu luto terminará e que sua jornada terá uma fase ascendente. A intensa dor e tristeza que você está sentindo irão amenizar e a recordação da pessoa querida será mais confortável em sua mente. Você preservará as boas lembranças e investirá novamente na vida e planejará seu futuro, embora esta possa ser uma vida bem diferente daquela que estava vivendo antes.

E crescimento

Você vai descobrir em seu íntimo novas forças e coragem, coisas que nem sabia que tinha. O mero fato de conseguir sobreviver exige determinação, inteligência e força. Ao se esforçar para encontrar sentido e propósito em sua tragédia e dor, descobrirá que cresceu e se aprofundou como pessoa.

Das descobertas que fizer em sua viagem através do luto, virá novo senso de propósito e de criatividade em sua vida. Cada pessoa percebe isso de maneira diferente: cuidam dos outros, realizam alguma tarefa, aprimoram algum talento, ficam mais sensíveis à natureza ou ao desenvolvimento de sua filosofia de vida. Você terá mudado, e sua vida também terá mudado. Leva tempo até aceitar o seu novo "eu".

> *Sou parte de tudo que encontrei;*
> *contudo, toda experiência é um círculo*
> *em que brilha o mundo inexplorado*
> *cujas margens se desfazem sempre que avanço.*
>
> (*Ulisses*, Alfred Lord Tennyson)

Mapa do luto

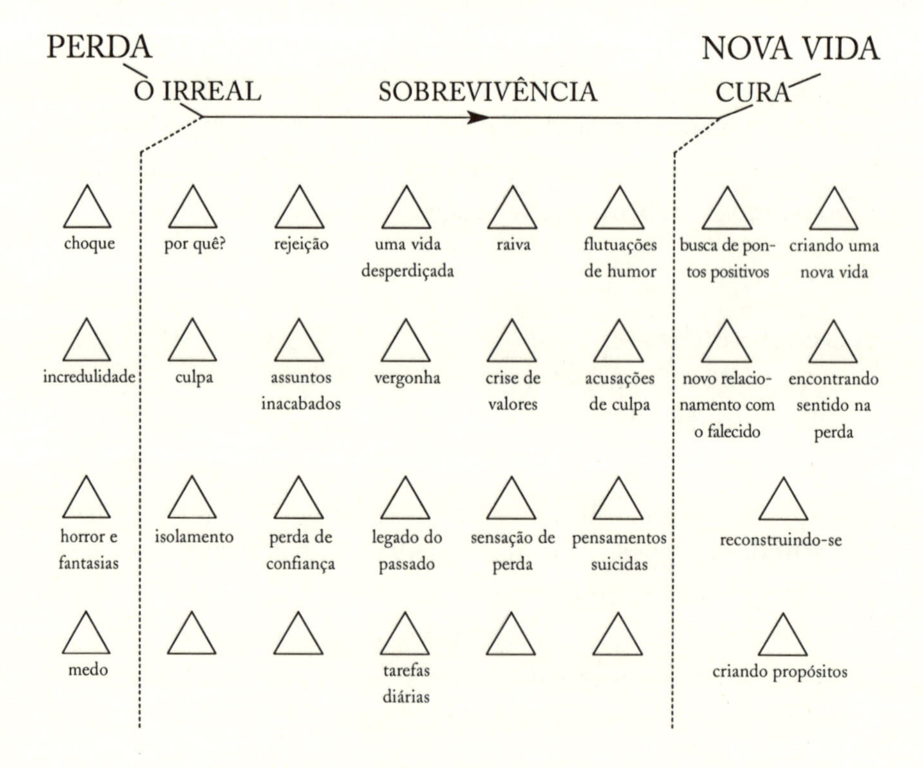

Mapa do luto

Agora, você deve estar experimentando diversas emoções e se fazendo muitas perguntas. Talvez esteja confuso e no limite. Para ajudá-lo a lidar com isso, as emoções mais comuns que se seguem ao luto causado pelo suicídio estão apresentadas no mapa anterior. Talvez não vivencie todas; se for esse o caso, elimine com um "x" aquelas que não se aplicam a você. Outras podem ser especificamente suas, e assim há espaços em branco para serem preenchidos.

Normalmente, ficamos confusos e sobrecarregados não só porque são muitas as emoções, mas também porque essas emoções são difíceis de se lidar. É útil imaginar que cada emoção e questão é uma montanha que precisa ser escalada.

Algumas montanhas podem exigir um esforço supremo, como a escalada de um paredão vertical. Às vezes, você sente que está escorregando e, outras vezes, pode conseguir chegar ao cume de um problema e descobrir que há outro ainda mais alto à sua frente.

Pode ser difícil ver a direção em que está seguindo ou a distância que já percorreu. Você pode achar que não está progredindo, porque está lidando com uma emoção particularmente difícil. Tal como na escalada de uma montanha, talvez haja caminhos alternativos até o cume; quando estiver lidando com suas emoções, será importante encontrar o caminho mais adequado para você.

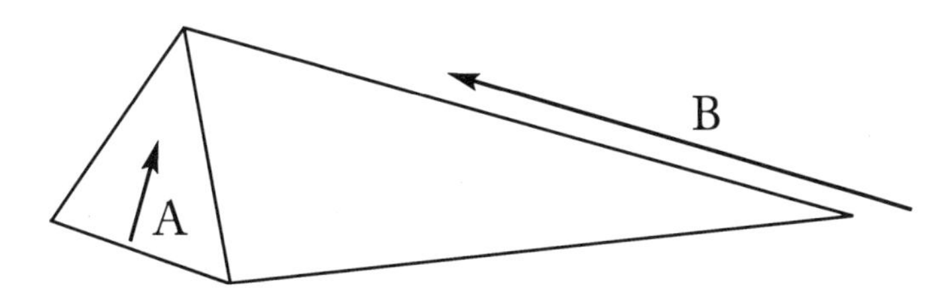

Caminhos da montanha do luto provocados pelo suicídio

Alguns caminhos são muito íngremes (A). Um caminho mais fácil pode ser encontrado ao se observar a montanha de um ponto de vista diferente (B). Leva tempo para se descobrir o melhor caminho; assim, você precisa buscar conselhos diferentes para ajudá-lo.

Assinale as montanhas que estiver escalando agora. Dê-se crédito; a escalada exige coragem, força e engenhosidade. É uma tarefa árdua. Não se esqueça de que todo alpinista precisa descansar de vez em quando.

Assim como você aprecia a paisagem quando alcança o cume, quando estiver concluindo a escalada de uma montanha emocional obterá uma nova perspectiva de sua situação.

Cada um lida com o luto à sua maneira. Não há maneira correta. Você tende a experimentar primeiro as emoções do irreal, seguidas pela sobrevivência e pela cura. Algumas emoções serão vivenciadas com mais intensidade e você terá mais dificuldade com algumas do que com outras.

Trabalhe suas emoções na ordem e na combinação que preferir. Você pode voltar várias vezes a algumas emoções para tentar dar fim a elas. Talvez tenha de se conformar e deixar algumas inacabadas para poder lidar com outras.

"Sinto-me travado no meu luto."

Essa sensação é muito comum e pode surgir algumas vezes enquanto estiver vivenciando o luto. Lembre-se da analogia da montanha. Ao lidar com uma emoção, você a está escalando. Então, verá que está progredindo, mas em uma dimensão vertical. Naturalmente, isso parece reduzir seu progresso ao longo da linha horizontal.

"Não consigo enfrentar a dor."

Uma prova de que consegue é o fato de dar continuidade às necessidades da vida, como alimentar-se, vestir-se, banhar-se e fazer compras. Sob circunstâncias normais, essas atividades são banais, mas nas atuais circunstâncias, são feitos notáveis. O fato de estar lendo este livro mostra que decidiu lidar ativamente com o seu luto.

Assim, embora neste estágio a montanha possa parecer um penhasco íngreme, você está fazendo uma boa escalada. Se quiser chorar, lembre-se de que as lágrimas são um sinal saudável do trato com suas emoções.

Como usar o mapa do luto

1. Assinale as montanhas que são relevantes em sua jornada.
2. Faça um "x" sobre aquelas que não são relevantes.
3. Existe alguma montanha com um nome diferente para aquilo que você sente? Se for o caso, risque o nome impresso e escreva o que preferir.
4. Algum dos seus problemas não está no mapa? Escreva o nome sob as montanhas sem denominação.
5. Preencha cada montanha até a altura que você julga ter subido. Se achar, por exemplo, que já resolveu um problema até a metade, demonstre que escalou metade dessa montanha preenchendo a metade inferior.
6. Agora, examine o mapa.

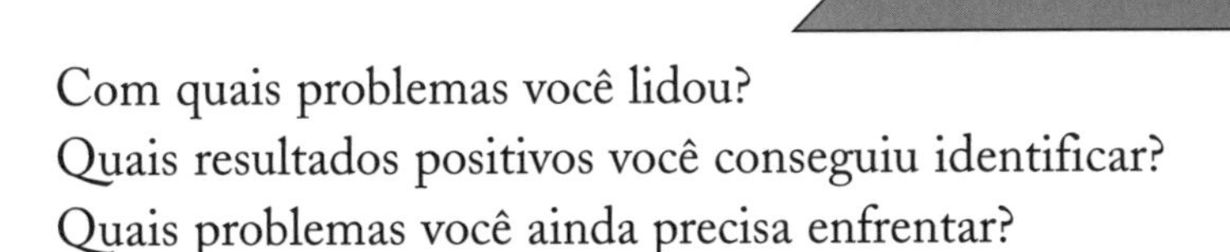

Com quais problemas você lidou?
Quais resultados positivos você conseguiu identificar?
Quais problemas você ainda precisa enfrentar?

Se precisar de ajuda, peça a orientação de um conselheiro ou de seu médico.

Entendendo suas emoções

Choque

Talvez nunca lhe tenha ocorrido antes que seu ente querido pudesse se matar. Mesmo que você esperasse isso, ou que a pessoa já tivesse tentado o suicídio, a morte em si é um choque. Você pode ter se chocado ao encontrar o corpo. Talvez isso signifique compreender a verdadeira extensão da tragédia.

Cada pessoa reage ao choque de forma diferente. Algumas "congelam" e se retraem. Para elas, é difícil tomar decisões, e deixam as tarefas para os outros.

Outras reagem conforme o mecanismo "lute ou corra". Aqueles que assumem as responsabilidades decorrentes da morte agem sob a influência da "luta". Aqueles que se ocupam com outras tarefas e fogem da realidade da morte são movidos pelo instinto de fuga.

Às vezes, o choque pode ser tão violento que causa sintomas físicos como enjôo, dores abdominais, falta de ar, tremores ou desmaios. Caso sinta dores no peito, consulte seu médico.

Incredulidade

Depois do suicídio, pode haver momentos em que terá dificuldades para acreditar que seu ente querido está realmente morto. Você pode achar que ele entrou em férias e que em breve estará de volta.

Poderá achar que vai ouvir a voz dessa pessoa quando atender o telefone. Vai parecer um pesadelo do qual sairá em breve, mas é muito perturbador perceber que esse sonho é a realidade.

Algumas pessoas sentem que o ente querido está bem próximo na forma de espírito e se consolam com isso; outras encontram conforto ao vê-lo em seus sonhos.

A incredulidade, em suas diversas formas, age como um mecanismo natural de proteção e auxilia nos estágios iniciais de uma calamidade. O abrandamento desse mecanismo de proteção e a percepção crescente da morte do ente querido tornam o luto, para muitas pessoas, mais doloroso após os estágios iniciais.

Horror e fantasias

O horror da morte vai perturbá-lo, especialmente se foi você o primeiro a encontrar o corpo. Imagens invasivas da cena podem ser graves o suficiente para serem classificadas como "Distúrbio de Estresse Pós-Traumático". É um problema diferente e mais sério do que o luto. É a reação causada ao se testemunhar um evento chocante e geralmente é aliviado por aconselhamento especial.

Mesmo que você não tenha visto o corpo, sua imaginação pode ficar solta; poderá ficar perturbado por seus próprios pensamentos, incapaz de pensar com clareza e com pesadelos. Fale com alguém sobre o que você viu ou sobre seus pensamentos.

Você pode imaginar o desespero que levou o ente querido a se matar. Lembre-se de que agora ele está em paz. Ele conseguiu o que queria. Seu problema foi resolvido.

Você pode ter perguntas específicas sobre a maneira como o ente querido morreu. Qual o sofrimento físico que ele enfrentou? Geralmente, a imaginação é pior do que a realidade. Pode ser bom conversar com o legista ou com seu médico. Na maioria dos países, seu médico pode solicitar uma cópia do relatório do legista, a seu pedido. Quando essa cópia chegar, vocês podem lê-la juntos. O legista pode fornecer essa informação a parentes.

Agora que seu ente querido não está mais por perto, você tem a sensação de que falta uma parte de você. Assim como um amputado imagina sensações no membro retirado, você tem a fantasia de que o ente querido ainda está por aqui. Você tem certeza de ter ouvido sua voz ou de que o viu na rua. Você acha que os outros vão considerá-lo louco, tendo alucinações. Não, você não está louco. São fantasias normais, que persistem logo após uma perda.

Por quê?

Por que esse desastre aconteceu com você e com seu ente querido? Você pode se perguntar porque Deus ou o destino permitiram que isso acontecesse. Algumas pessoas julgam erroneamente que o suicídio é um castigo por alguma coisa que fizeram no passado.

Também procurará saber porque seu ente querido se matou e qual era seu estado de espírito antes do suicídio. É provável que essas respostas sejam de difícil obtenção. Muitos nunca chegam a compreender as emoções ou as causas que levaram ao suicídio de seu ente querido. E muitos descobrem sentimentos de culpa ao tentar responder à questão.

Será útil conversar com as pessoas que conheciam o ente querido e quem estava com ele na época anterior à morte. Pode ser útil analisar o relatório do legista ou conversar com ele.

Como já foi mencionado, é importante lembrar que as evidências sugerem que o suicídio pode ser causado por um baixo nível de serotonina no cérebro. A maioria das pessoas que se matam sofre de uma doença que limita seu raciocínio, fazendo com que sua visão da situação seja bem diferente da realidade. Ela considera sua situação desoladora e se sente incapaz de pedir socorro. Se alguém oferecer ajuda, ela não compreenderá que isso pode ser útil. Pode parecer que ela e as pessoas dispostas a ajudar estão falando línguas diferentes, uma linguagem que ninguém consegue compreender. A comunicação é interrompida. Com isso, o ente querido chega a lançar culpa – talvez um bilhete de suicídio – sobre aqueles que o ajudaram.

Depois que a pessoa decide se matar, parece que pouca coisa pode ser feita por terceiros. Nem mesmo profissionais especializados nessa área conseguem sempre impedir um suicídio.

O bilhete de suicídio

A mente perturbada do autor do bilhete implica que qualquer mensagem costuma dar pistas duvidosas sobre a razão do suicídio. Às vezes, uma ou mais pessoas são acusadas no bilhete. Por causa disso, tais pessoas se sentem tremendamente culpadas.

É normal culpar (ou sentir raiva de) pessoas que eram mais próximas ou com quem o suicida se sentia mais à vontade, como membros da família, por causa da segurança e da sensação de perdão que existe em relacionamentos íntimos. Ao culpar você, o ente querido pode ter desejado mostrar a confiança que sentia.

Do mesmo modo, alguns bilhetes que expressam gratidão omitem o nome das pessoas mais próximas e queridas. É comum que as pessoas mais próximas sejam consideradas "incondicionais" e sua omissão em um bilhete pode indicar que o ente querido se sentia muito seguro no relacionamento, confiando nesse.

Algumas mensagens finais expressam belos sentimentos e se tornam tesouros perenes.

Culpa

Provavelmente, você já disse isso muitas vezes para si mesmo:

"Se eu tivesse feito..."

"Se eu não tivesse feito aquilo..."

A culpa pode ser uma das emoções mais difíceis e perturbadoras; você pode se sentir culpado por não ter conseguido impedir que seu ente querido se matasse. O remorso que você sente é profundamente doloroso. Muitas pessoas acham que não conseguiram identificar o comportamento suicida. Elas não perceberam que a doação de objetos ou conversas muito francas eram formas de dizer adeus.

A culpa pode ser proveniente de aspectos de seu relacionamento com a pessoa que se foi. Normalmente, os pais se sentem culpados pelo modo como trataram o filho, chegando até a se sentir fracassados como pais. Irmãos podem sentir grande responsabilidade, especialmente se havia rivalidade entre eles, o que é muito normal. Cônjuges podem se sentir inadequados como confidentes ou prestadores de apoio.

Quando alguém pensa em se matar, geralmente faz segredo de seus planos, em especial das pessoas mais próximas, por medo de ser descoberto.

Pode ter havido grande desarmonia e desentendimento no relacionamento antes da morte. Normalmente, a qualidade do relacionamento é posta em julgamento após o suicídio. Mas as pessoas enlutadas costumam se sentir culpadas demais para conseguirem julgar com acerto.

Um elemento que pode causar angústia é a lembrança de ocasiões em que você quis que a pessoa morresse. São pensamentos normais em certos momentos e não devem ser usados contra você.

Familiares e amigos daqueles que fizeram várias tentativas de suicídio podem se sentir culpados ao encontrarem alívio no fato do suicídio ter acontecido.

Você pode se sentir culpado por ser o sobrevivente, especialmente se os outros o culpam.

Você pode se sentir culpado por não conseguir ajudar os outros enlutados ou por ter dificuldade para lidar com seu próprio luto.

Alguns se sentem culpados por sentirem uma dor tão profunda. Eles subestimam a importância do relacionamento com o ente querido.

Lidando com a culpa...

A menos que seja trabalhada com cuidado, a culpa pode ser uma das emoções mais destrutivas.

No início, os enlutados têm dificuldades para compreender que boa parte da culpa é imaginada, irreal. Acreditam, de maneira errada, que deveriam ter sido totalmente responsáveis pela vida do ente querido, controlando-a.

Em retrospectiva, é fácil criticar aquilo que você fez ou deixou de fazer. Lembre-se:

> Você agiu com as informações de que dispunha NAQUELA OCASIÃO.

Quase sempre, os sobreviventes ficam emocionalmente estressados e suas memórias lhes pregam peças. Esses caminhos de pensamento podem ser perigosos.

Converse com alguém com quem se sinta seguro. Entre em contato com um grupo de apoio; converse com uma pessoa que passou por uma perda semelhante. Veja como ela lidou com os sentimentos de culpa.

Se não conseguir se abrir com alguém sobre os sentimentos de culpa, registre-os de algum modo. Anote-os, por exemplo, grave-os ou expresse-os em desenhos ou manifestações artísticas. Isso pode aliviar a sua dor.

Analise aquilo que fez e imagine que é um observador situado fora de si mesmo. Enquanto repassa seus sentimentos registrados, faça este teste com as perguntas da próxima página:

- *Que parte da minha culpa é imaginada? Observe-se com o conhecimento de que dispunha naquela época.*
- *Eu permiti que a culpa dos outros fosse lançada sobre mim?*
- *Será que estou me punindo com a culpa? E por quê?*

Se você se permite ser consumido pela culpa, terá pouco tempo e energia para analisar outros aspectos de sua culpa. Pode ser mais benéfico dirigir sua atenção para encontrar sentido em sua experiência de luto. Analise ainda maneiras de perpetuar a influência de seu ente querido (ver capítulo *Uma vida desperdiçada?*).

Medo

Você também pode passar por experiências como ansiedade ou o prenúncio de outra catástrofe, sentindo-se inseguro em quase tudo. Pode ainda se sentir mais seguro no refúgio de seu próprio lar e ter dificuldade para sair para fazer compras ou trabalhar.

A ansiedade aumenta com o receio pela segurança dos familiares sobreviventes. Você começa a superprotegê-los e também sente medo de enfrentar o futuro sem o seu ente querido, e de como vai conseguir viver.

Você vai se tornar mais confiante. No início, será útil obter o apoio de alguém que passou por uma experiência similar ou que está familiarizado com as dificuldades. Entrar em contato com um grupo de apoio ou um conselheiro pode ser muito útil.

Acusação de culpa por outras pessoas

Pode ser que outras pessoas pareçam culpá-lo pela morte de seu ente querido. Você pode se sentir alienado, solitário, sem apoio e até zangado.

Talvez você tenha perdido o cônjuge e a família dele o culpe. É duro lidar com isso, pois você pode estar ansioso em entrar em contato com esses parentes e em obter o apoio deles em seu luto.

A culpa é a única maneira pela qual algumas pessoas conseguem lidar com seu luto. Estão sentindo muita dor e tentam se proteger dessa maneira. Seja paciente. Mantenha abertas todas as portas de comunicação. Mais tarde, as pessoas percebem com tristeza os efeitos devastadores que sua culpa exerceu sobre os demais.

Rejeição

Você pode achar que seu ente querido não o queria mais e por isso o desertou ou rejeitou. Essas emoções deixam as pessoas se sentindo desesperadamente magoadas, ou mesmo insultadas. Algumas se perguntam se o seu ente querido fez aquilo como revanche.

Você pode sentir que seu ente querido preferiu se matar por sua causa e que essa "opção" torna seu luto diferente. No entanto, geralmente eles estavam tão absortos e profundamente mergulhados em seus próprios problemas que não tinham consciência dos efeitos que o suicídio poderia causar. Geralmente, sua meta era obter alívio para o estresse.

Você pode achar que suas tentativas de ajudar seu ente querido antes da morte foram rejeitadas. Uma mente perturbada fica aquém da aceitação de ajuda, depois que a idéia do suicídio se estabelece.

Raiva

A raiva preocupa muitas pessoas. É uma reação que elas não esperam. Pessoas enlutadas costumam descobrir que têm muitos motivos para sentir raiva: os eventos e ações que levaram ao suicídio, e a si mesmas, por não terem conseguido impedi-lo.

Você sente raiva pela desagregação e dor que entraram em sua vida, pela perda que sentiu, pela culpa e pelo estigma.

Pode até sentir raiva do ente querido; da rejeição, por ter sido retirado do relacionamento, por ter de assumir um novo papel, por exemplo; por ser agora a fonte de renda da família ou por cuidar dos filhos. Você pode ficar magoado pelo fardo que recaiu sobre suas costas e pode estar com raiva da dor que o suicida causou a outras pessoas queridas.

Pode também sentir necessidade de ficar quite com seu ente querido. Você sente que essas emoções estão erradas quando, na verdade, deveria estar sentindo remorso.

A raiva pode fazer parte do processo de cura, sendo útil para aliviar o sentimento de culpa e a intensa tristeza. Na verdade, a raiva é uma projeção de nossa própria tristeza. Quando ela é dirigida contra o ente querido que morreu, é um modo bastante normal de admitir o sofrimento que o fato causou à família.

Normalmente, a ela se segue uma reconciliação emocional, que se torna aceitação; a admissão de que a vida pode tornar a ficar em ordem, de que ela não está mais tão abalada; este episódio passou e a vida tornou a assentar.

Lidar com a raiva...

A raiva pode ser uma emoção perigosa e precisa ser identificada como tal para que não lhe cause danos. É tentador usar a raiva de forma negativa.

Quando usada positivamente, pode ser uma fonte valiosa de energia. Controle essa energia; permita que ela ajude você. Use a energia de sua raiva, por exemplo, em atividades físicas, como cuidar do jardim. Use-a para alimentar sua determinação de criar uma nova vida. Use-a para procurar um novo propósito a partir de seu luto, ou para perpetuar a influência exercida pela vida de seu ente querido (capítulo *Uma vida desperdiçada?*).

Vergonha

A maioria das religiões não estigmatiza mais o suicídio. Em países mais avançados, ele não é mais ilegal. No entanto, ainda há muitos mal-entendidos acerca do suicídio e de doenças mentais. Talvez não seja possível mudar atitudes sociais durante sua existência, mas você pode tentar.

Muitas pessoas enlutadas sentem uma aura de vergonha com relação ao suicídio, o que lhes causa problemas inesperados.

O primeiro problema encontrado está em informar os demais da morte. Pode ser tentador ocultar a verdade, mas isso sempre acarreta complicações posteriores. Seja tão honesto quanto puder sobre a causa da morte sem entrar em detalhes.

De maneira geral, há a sensação de que estão falando de você e pode ser tentador isolar-se dos outros. É importante perceber que, com a maior compreensão que temos hoje do suicídio, não há nada de que se envergonhar.

Você pode sentir vergonha se achar que não está lidando com o luto. Lembre-se, é salutar expressar seu luto. As lágrimas são um sinal de que você está lidando com seu luto. Os homens são educados para serem "fortes" e, quase sempre, eles têm mais dificuldade para falar de suas emoções do que as mulheres.

Questões mal resolvidas

"Nem pude dizer adeus."

Pode haver muitas coisas que você não conseguiu dizer para seu ente querido por causa da natureza súbita dessa morte. Talvez quisesse resolver antigos conflitos ou esclarecer mal-entendidos. Você receia que seu ente querido tenha morrido solitário e sem amor e gostaria de dizer que se importava com ele, de lhe agradecer por tudo que ele significava para você. O anseio de comunicar essas coisas pode ser bastante perturbador.

Pode ser útil registrar seus pensamentos em um diário ou escrever uma carta para seu ente querido. Mantenha-a em um lugar seguro ou entregue-a a seu ente querido, queimando-a sob sua lápide ou um arbusto plantado no memorial.

Você pode querer visitar o túmulo e conversar. Fale de seus sentimentos por ele. Faça uma despedida. Não se preocupe se será visto ou considerado tolo. Fique lá enquanto estiver à vontade. Tente resistir à tentação de sair dali correndo.

Legados do passado

Você pode ter tido semanas, meses ou até anos de dificuldade antes que seu ente querido tirasse sua própria vida. Pode ter tido um sentimento desconfortável quanto a aspectos de sua vida, de seu humor ou comportamento. Pode ter havido desarmonia em seu relacionamento com ele. Isso pode ter perturbado a família toda, em alguns momentos pode ter sido difícil comunicar-se com o ente querido, compreender seus pensamentos e ações. Algumas pessoas descreveram a dificuldade de comunicação como se o falecido falasse uma língua estranha.

Lembre-se: podem ser sintomas de sua doença mental e da dificuldade em processar pensamentos nos quais os baixos níveis de serotonina tiveram participação. Esse comportamento pode ter parecido normal na época. Geralmente, é difícil perceber que existe algo errado quando vão se desenvolvendo problemas em uma pessoa próxima.

Você pode lamentar os momentos perdidos e o relacionamento incompleto. Pode sentir culpa ou raiva pelo efeito que ele causou sobre você e sobre sua família.

Aqueles que se importavam com seu ente querido, sabendo que ele estava perturbado, às vezes têm sentimentos de alívio ou fracasso.

Você também pode se sentir preocupado pelo fato de ter cuidado do ente querido e, com isso, ter negligenciado outros membros da família. São descobertas normais. Agora é a época de se concentrar nesses relacionamentos.

Crise de valores

Muitos sentem sua auto-estima despencar após o suicídio de um ente querido. Essas pessoas põem em dúvida seus valores e sua filosofia de vida: as prioridades que davam ao amor familiar, ao trabalho, à amizade, integridade, educação e religião.

Você pode se sentir inseguro e desconfiar de seu senso de julgamento. Pode ter dificuldade para tomar decisões, não ver mais sentido ou propósito na vida. Pode ser perturbador perder suas certezas. Lembre-se da analogia da montanha, feita antes: geralmente, é difícil enxergar o cume quando você está enfrentando a mata próxima ao sopé. Mas o cume não desaparece: ele está apenas esperando que você torne a avistá-lo.

Embora possa ser difícil acreditar nisto nesse momento, o mato vai escasseando à medida que você sobe. Você vai tornar a ver aonde está indo.

Perda da confiança

Você pode achar que seu ente querido traiu a confiança mútua de seu relacionamento. Você se sentiu enganado pela natureza sigilosa do suicídio. Pode até recear novos relacionamentos, embora eles sejam de muita ajuda nesse momento.

Isolamento

O luto e a perda alteram os relacionamentos. Com tantas emoções negativas, você se sente tentado a evitar o contato com outras pessoas. Vê que os amigos o evitam, ou ficam desconfortáveis na sua companhia. Eles não sabem como agir e você ainda fica com a tarefa adicional de ensinar-lhes a agir. Por este motivo, há neste livro páginas destacáveis com informações para você entregar a seus amigos e parentes.

Você poderá ficar isolado em seu círculo familiar. Parentes têm dificuldade para falar do falecido porque receiam perturbar o outro parente. E poderá ficar magoado porque os outros não parecem tão abalados ou porque sequer parecem estar de luto. Poderá achar que é o único que está sofrendo e que ninguém compreende o que está sentindo.

É normal que as pessoas expressem seu luto de maneiras diferentes. Procure incentivar os outros a dizer como se sentem e estimule-os a ouvi-lo. Ficará surpreso com tantos pontos que têm em comum.

É real o perigo de se isolar e de se negar acesso aos suportes necessários para ajudá-lo nesse processo.

Aceite ofertas de ajuda da maneira como esta for oferecida. Mantenha contato e você se sentirá menos isolado. Há outras pessoas querendo ajudá-lo. Dê-lhes uma chance.

Sensação de perda

"Sinto-me como se alguém tivesse aberto o meu peito e escavado um buraco em meu coração, deixando só um espaço vazio."

A dor que você sente é o resultado de amar e de ser amado; quanto maior o amor, maior a dor. Se este amor tinha significado em vida, ainda terá na morte. Por que deveríamos permitir que a morte podasse esse amor?

Como escreveu Viktor Frankl:

> *O amor vai muito além da pessoa física do ser amado. Encontra seu sentido mais profundo em seu ser espiritual, seu eu interior. Estar ou não realmente presente, até mesmo estar ou não vivo, deixa de ter importância.*
>
> (*Em busca de sentido*)

Sinta o amor em seu coração, ao lado de sua perda. Quando sentir a dor, lembre-se também do amor; beleza e dor ao mesmo tempo.

Tristeza e saudade estarão constantemente presentes no começo. Depois, essas crises ocorrem com menor freqüência. Essas emoções podem reaparecer quando você menos espera, e você será pego de surpresa. Poderá estar se divertindo e, de repente, lembranças desse ente querido assomam.

> *Mantenha as recordações*
> *dessa pessoa querida.*
> *São preciosas.*
> *Elas podem ajudar*
> *a preencher o vazio.*

Tarefas cotidianas

O que você tem feito no seu dia-a-dia desde a morte desse ente querido? Você foi estudar ou trabalhar, tomou decisões importantes, manteve a casa funcionando, cuidou dos filhos? Faça uma lista. Dê-se crédito por tudo aquilo que realizou.

Alterações de humor

Seu humor vai funcionar como uma gangorra, com altos e baixos, dia após dia.

Algumas pessoas descrevem as crises de intensa tristeza como "depressão". Elas não devem ser confundidas com a depressão, uma doença mental que exige assistência médica. Algumas pessoas dizem que essas crises são como se tivessem caído em um poço ou entrado em um túnel escuro.

Muitos se assustam com as crises que surgem após um suicídio. Embora seja importante passar pelo luto e dar espaço para suas lágrimas e emoções, também será importante preparar algumas estratégias para quando se sentir desesperadamente por baixo.

Lidando com mudanças de humor...

Preencha a Lista de Ajuda em Emergências apresentada no quadro da página seguinte.

Relacione pessoas que você pode visitar ou para quem pode telefonar, mesmo se for na madrugada. Registre as atividades que normalmente podem distraí-lo. Inclua, por exemplo, um passatempo favorito, música, jardinagem, rádio ou televisão. Relacione algumas leituras que podem deixá-lo "para cima" e fortalecê-lo, como poemas e livros religiosos ou inspiradores. Mantenha essa listagem em local seguro e use-a.

LISTA DE AJUDA EM EMERGÊNCIAS

Pessoas para quem posso telefonar: ______________________

____

____

____

Atividades que posso fazer: ___________________________

____

____

____

Minhas leituras úteis são: ____________________________

____

____

____

Pensamentos suicidas

Depois de um suicídio, você poderá ficar preocupado com a hipótese de outro parente ou de você fazer a mesma coisa. A tristeza pela separação do ente querido costuma levar as pessoas a contemplarem ocasionalmente o suicídio. Esses pensamentos passam à medida que o processo de luto se desenrola. Mas enquanto isso não acontece, pode ser muito útil usar a lista de ajuda que você acabou de elaborar.

Algumas pessoas se preocupam com a idéia de serem atraídas pelo destino para o mesmo caminho que seu ente querido tomou.

Isso pode ser ainda mais válido depois, quando um irmão ou irmã mais jovem chega à idade com a qual o mais velho morreu.

O suicídio não é, porém, algo que acontece por causa do destino. Ele acontece em um estágio crítico da doença mental, quando o pensamento é restrito. O suicídio não pode ser "transmitido" em uma família, mas algumas doenças mentais são hereditárias. De forma geral, os tratamentos modernos são bastante eficazes, especialmente se o problema foi detectado e tratado em seu estágio inicial. Se você estiver preocupado com a possibilidade de suicídio, seja de sua parte, seja de outro membro da família, deve procurar a ajuda de seu médico.

Busca de pontos positivos

Durante o luto, você pode buscar elementos positivos. Você consegue se identificar com estes comentários?

"Agora, meu marido está em paz."

"Meu filho é que tomou a decisão de se matar."

"Fico feliz por ter conhecido essa pessoa."

"No fundo, sei que fui boa mãe para ela."

"Era um companheiro muito legal."

"Aprendi muito a meu respeito – obrigado."

"Pela primeira vez, percebi que as outras pessoas se importam conosco."

"Aconteceram coisas muito especiais, que nunca teriam ocorrido se não fosse essa pessoa."

Se a vida com esse ente querido foi difícil, há quem se sinta aliviado com a cessação do problema e a vida pode se assentar e melhorar. Aqueles que sofreram repetidas ameaças de se matar por parte do ente querido podem se sentir aliviadas porque o suicídio não é mais uma ameaça.

Relacione os pontos positivos que você observou a partir da situação.

PONTOS POSITIVOS

____

____

____

____

____

____

____

____

Criando uma nova vida

Na verdade, você tem criado uma nova vida desde o suicídio. Agora, faça uma lista de todas as coisas que realizou desde então, por menores que sejam. Você precisou sobreviver fisicamente, precisou cozinhar, comer, lavar e trabalhar. Você precisou realizar algumas tarefas bem difíceis: transmitir a notícia da morte do ente querido para os outros, cuidar dos negócios, comunicar-se com o legista, planejar o enterro. Pode ter assumido novas responsabilidades na família. Pode ter questões financeiras ou trabalhistas para cuidar. Não subestime o tamanho dessas tarefas. Dê-se o crédito que merece.

As amizades mudam. Você fará novas amizades ao vivenciar as diferentes formas de apoio oferecidas por aqueles que o rodeiam. E desenvolverá outros interesses e sua vida pode tomar novos rumos.

Relacione tudo que você tem feito para criar uma nova vida.

MINHA LISTA DE SUCESSOS

____
____
____
____
____
____
____
____

Reconstruindo-se

Talvez sua autoconfiança tenha baixado. Talvez sua capacidade de tomar decisões tenha mudado.

Você já fez sua lista de sucessos? Examine essas realizações. De que qualidades especiais precisou para atingi-las?

MINHAS QUALIDADES ESPECIAIS

____
____
____
____
____
____
____
____

Você vai novamente se sentir bem consigo mesmo. Procure manter seus relacionamentos atuais e crie outros. Dê-se crédito por tudo aquilo que conseguiu. Seja generoso consigo mesmo!

Comemore suas realizações!

> Você descobrirá força
> e coragem em seu luto
> e elas o deixarão orgulhoso
> de si mesmo.

Que estranho que todos
os terrores, dores e sofrimentos iniciais,
remorsos, vexames, prostrações
que se entrelaçam
em minha mente, tenham tido
seu papel, e muito útil,
na formação da
calma existência que é a minha vida
quando me sinto digno de mim mesmo!

(*O prelúdio,* William Wordsworth)

Uma vida desperdiçada?

Criando propósitos – Transformando a perda em ganho

Muitas pessoas pensam que a vida de seu ente querido foi desperdiçada. Mas:

O valor de uma pessoa
não morre com ela.
Ficam suas
influências e
suas lembranças.

Lembre-se do tempo que passaram juntos. Tire as fotos da gaveta e recorde tudo. Às vezes, as lembranças ficam escondidas por conta da dor que sentem, mas elas acabam voltando. Agora, você é o guardião delas. Registre-as e mantenha-as em um lugar seguro. Essas lembranças nunca poderão ser tiradas de você.

O que era especial em seu ente querido? Lembre-se daquilo que ele representava para você. Lembre-se do modo como a vida dele o afetou. Você gostaria que isso continuasse? Também ajuda imaginar o que ele gostaria que tivesse continuado. Esses são tesouros que agora lhe pertencem. Recorde-se deles com orgulho e gratidão. Agora, cabe a você alimentá-los e incentivá-los a crescer. A influência futura de seu ente querido torna-se a responsabilidade daqueles que o cercavam em vida.

O processo de luto não significa um afastamento da pessoa que morreu, mas sim um novo relacionamento com ela, em termos do sentido que ela terá para você.

Quais eram os valores, aspirações, atributos
e alegrias de meu ente querido?

A qual deles meu ente querido
gostaria que eu desse continuidade?

Agora lembre-se deles com orgulho e gratidão

Quando alguém que amamos morre ou quando nos defrontamos com uma situação de perda grave, ficamos diante de um dos maiores desafios da vida. A experiência de vida e morte com que lidamos no luto abre um mundo de novas possibilidades para nós. Entre elas, nossas decisões sobre encontrar sentido no desastre e os caminhos que nossa vida vai tomar no futuro.

Como somos humanos, não somos motivados por instintos, mas por nossas próprias escolhas. Temos a liberdade de decidir como vamos lidar com esse desafio. Isso inclui as atitudes que adotamos no esforço para criar um sentido e encontrar um novo propósito em função da vida e da morte desse ente querido.

Você pode decidir integrar essa experiência em sua vida para fazer com que surja algo muito especial dessa situação. As respostas às perguntas apresentadas a seguir podem ajudá-lo encontrar sua direção.

Como desejo crescer pessoalmente com meu luto?

____

____

____

____

____

Como posso fazer o melhor uso do resto de minha vida?

____

____

____

____

____

Você é um indivíduo único, com qualidades especiais (lembra-se da lista que você fez antes?). Você pode decidir que irá desenvolvê-las para criar novos propósitos a partir do luto. Trabalhe-as. Integre-as à sua vida.

Lembre-se:

> Você é um indivíduo único
> com qualidades especiais.

Depois da tragédia, algumas pessoas desenvolvem maior sensibilidade às necessidades do próximo. Elas se tornam mais atenciosas ou trabalham em prol dos outros. Algumas ficam mais criativas. Outras, vivenciando a beleza da natureza, da arte, da verdade ou de relacionamentos afetivos, têm vida mais rica e gratificante. O compositor australiano Percy Grainger escreveu algumas de suas composições mais profundas e comoventes depois que sua mãe se matou.

É tão comum ansiar pela felicidade. Contudo, boa parcela do crescimento advém das situações dolorosas da vida e não das felizes. A descoberta de nosso próprio crescimento emergindo desses desafios dolorosos é que gera alguns dos momentos mais felizes e que pode fazer com que nos orgulhemos genuinamente de nós mesmos.

Viktor Frankl, famoso psiquiatra, valendo-se de sua experiência de luto, descreveu o conceito de descoberta do significado em seu livro *Em busca de sentido* e sua continuação *Sede de sentido.*

Você pode encontrar realização em sua jornada através do luto.

O sentido na existência de seu ente querido e um novo propósito para você estão à espera de sua descoberta.

Preste atenção à exortação da aurora!
Cuide deste dia, pois é ele a vida, a própria essência da vida.
Em seu breve curso estão todas as verdades e realidades da tua existência.
A bem-aventurança do crescimento, a glória da ação, o esplendor da beleza.
Pois ontem é apenas um sonho e o amanhã é apenas uma visão.
Mas o hoje, bem vivido, torna cada ontem um sonho de felicidade e cada amanhã uma visão de esperança.
Anseie, portanto, por este dia!
Esta é a saudação da aurora.

(Traduzido do Sânscrito)

O que aconteceu com minhas crenças?

Qualquer que seja sua religião, talvez você perceba que o luto altera suas crenças de algum modo. A experiência de cada um é diferente. Você consegue se identificar com alguma destas?

"Fiquei furioso com Deus por ter permitido que isso acontecesse."

"Minha fé me sustentou. Ela foi testada e posta em cheque muitas vezes antes e não me faltou desta vez."

"Para começo de conversa, rejeitei totalmente minha fé."

Para algumas pessoas, suas crenças religiosas ruíram em pedaços. A base que elas consideravam seguras não existe mais. Ruiu um importante suporte. Isso pode ser assustador. Elas se perguntam para onde estão indo. Qual o sentido da vida? Existe um Deus?

Muitas pessoas passam por turbulências, fazem buscas espirituais. Algumas cresceram com uma imagem de Deus moralista e julgador e podem achar que essa imagem é bem ameaçadora nessa época. Elas querem rejeitar até a idéia da existência de Deus ou podem recorrer a outras filosofias e religiões.

Outras vêem Deus como alguém que dá apoio e amor. Para elas, a fé é algo a que se apegar. Será um apoio importante nesse processo.

"Não tinha ninguém com quem pudesse conversar, mas Deus estava sempre lá."

"Estávamos em nosso ponto mais baixo. Se qualquer um de nós tivesse sugerido que fizéssemos o mesmo, eu teria ido. Mas, em vez disso, peguei o livro que conhecia melhor e li: 'Elevo os meus olhos para os montes; de onde me vem o socorro? O meu socorro vem do Senhor, que fez os céus e a terra', e ainda estamos aqui."

Algumas pessoas acham que sua relação pessoal com Deus dificultou ainda mais a compreensão do suicídio da pessoa querida. Fez com que buscassem uma nova perspectiva em sua fé. Elas precisavam de respostas para perguntas difíceis.

"Toda a raiva que eu sentia de Deus se dissipou quando percebi que ele estava tão perturbado quanto nós por ter acontecido algo tão terrível. Percebi que ele se sentia como nós."

"Senti uma imensa tristeza ao pensar que meu filho não iria para o céu, porque tirara sua própria vida. O padre me disse que Deus saberia como meu filho estava perturbado e o receberia, abraçando-o com grande ternura e amor."

"Eu precisava desesperadamente do apoio de meu conselheiro. Fiquei abalada ao pensar que minha necessidade de ajuda além da oferecida por Deus pudesse sugerir que minha fé era insuficiente. Achei que fracassara em minha fé. Mais tarde, percebi que minha necessidade de ajuda era o veículo de que Deus se valeu para amadurecer minha fé."

Em meio à confusão e à busca, muitos fizeram descobertas em sua fé, percebendo que ela cresce e se desenvolve de um modo que nunca teriam imaginado antes do luto.

"Percebi que, infelizmente, não crescemos como pessoas ou na fé em períodos de felicidade. Só quando chegamos às profundezas do desespero é que entramos em contato com nosso verdadeiro eu e com nosso verdadeiro Deus, e encontramos uma fé que, de outro modo, não teríamos encontrado."

Assim como o seu médico o ajuda a manter a saúde física, pode ser útil procurar um conselheiro religioso para falar de sua sobrevivência espiritual. Os rituais de sua religião também podem ajudá-lo durante o luto.

Cuidando de si mesmo –
Cuidando da saúde

O intenso estresse causado pelo luto provoca uma série de alterações no corpo. As glândulas liberam substâncias chamadas hormônios. Eles circulam na corrente sanguínea e estimulam muitas partes do corpo, deixando-as em aberto. A adrenalina é uma delas. Além disso, o sistema nervoso autônomo sofre uma sobrecarga. (É aquela rede de pequenas fibras nervosas que ligam os órgãos ao cérebro.)

Esses mecanismos preparam seu corpo para enfrentar extremos esforços físicos e emocionais (como na reação "lute ou corra" descrita no capítulo *Entendendo suas emoções* sob o título "Choque").

Como órgãos tais como intestinos e coração ficam carregados por causa desses mecanismos, você pode ter sintomas físicos: perda de apetite, enjôo, dor de estômago, mudanças nos hábitos intestinais, alterações no padrão de menstruação, tremores, dores de cabeça, falta de sono, palpitações e dores no peito. Esses são apenas alguns dos sintomas que podem ocorrer. A experiência de cada pessoa é diferente.

Se você tem um problema permanente de saúde, como diabetes ou asma, vai precisar tomar ainda mais cuidado para mantê-lo sob controle.

É importante manter o corpo o mais saudável que puder a fim de evitar estresse ainda maior. Eis algumas sugestões.

Uma rotina diária regular

Nesta época em que talvez você só se sinta capaz de viver uma hora por vez, uma rotina regular proporciona estrutura para o seu dia. Acorde, vista-se, faça compras, caminhe e vá dormir em horários regulares. Estabeleça horários para as refeições, mesmo que não tenha vontade de comer.

Dieta

Nesse estado de sobrecarga, é necessário fazer uma boa alimentação para não ficar sem energias e nutrientes vitais e para manter o estômago e os intestinos funcionando normalmente.

Se você perder o apetite, pode ser melhor fazer diversas pequenas refeições ou lanches em vez de três grandes refeições por dia. Procure incluir um pouco de cada um dos três grupos alimentares principais.

TRÊS GRUPOS ALIMENTARES PRINCIPAIS:

Pães e cereais.
Proteínas (carnes, peixes, laticínios).
Frutas e verduras.

Pães e cereais (especialmente grãos integrais), frutas e verduras proporcionam fibras que ajudam a prevenir dores estomacais e regularizam os intestinos.

Se você não estiver com vontade de cozinhar, experimente frutas frescas, sopas, iogurte, sanduíches, queijo e biscoitos, ou prepare um desses pratos congelados, que só precisam ser aquecidos.

Evite alimentos gordurosos, salgados ou desses entregues em casa. Procure ingerir ao menos oito a dez copos de líquido por dia. Bebidas à base de leite ajudam a manter elevado o nível de energia, além de serem nutritivos.

Ademais, é tentador buscar consolo na comida, por isso tome cuidado para não exagerar. Isso faz com que você engorde e fique insatisfeito com sua aparência.

Exercícios

Exercícios regulares ajudam-no a lidar melhor com seu luto. Ajudam a gastar essa adrenalina adicional. Assim, haverá menos adrenalina para causar sintomas desagradáveis, como agitação ou tremores. O exercício também o deixa cansado, fazendo com que durma melhor e mantenha seu corpo em forma.

Também provoca no corpo a liberação de substâncias chamadas endorfinas. Elas melhoram o humor e fazem com que você se sinta melhor em termos emocionais. Faça exercícios regularmente, pelo menos três vezes por semana. Comece com uma caminhada suave ao redor de uma praça perto de sua casa. Você ainda fica próximo da natureza, uma vantagem adicional. De modo geral, tranqüiliza a mente. No entanto, você pode optar por praticar um esporte social ou entrar em uma academia. Se tiver dúvidas sobre o nível de preparo exigido para qualquer dessas atividades, consulte seu médico.

Relaxamento

Relaxamento profundo, meditação e massagem podem ajudar. Eles aliviam a tensão muscular e liberam endorfinas, que melhoram o seu humor.

Você pode optar por algum dos diversos métodos e formas de relaxamento: fitas ou DVDs para assistir em casa; aulas de controle de estresse, que podem ser ministradas no centro de saúde de seu bairro; ioga; tai-chi.

Muitos acham que a natureza exerce um efeito tranqüilizante sobre a mente. Saia para caminhar no campo ou em um parque; sente-se e admire o pôr-do-sol ou uma paisagem ao ar livre. Ficar próximo da natureza dá-lhe a oportunidade de vivenciar seu luto, de aliviar sua tensão e de renovar sua mente e seu espírito.

Para muitas pessoas, a música exerce um efeito similar.

Bichos de estimação

Os bichos de estimação costumam ser um grande conforto para quem está de luto. Os animais são sensíveis à sua tristeza. Ouvem tudo que você diz e nunca discutem! Um cão sempre o recebe muito bem quando você chega em casa. Para quem mora sozinho, o cão proporciona companhia e proteção. Abraçar um cão ou gato é reconfortante. Há evidências de que pessoas com bichos de estimação costumam ter menos problemas de saúde.

Distrações

Embora pareça difícil, será importante que você se distraia. Faça um esforço para ter atividades prazerosas. Sua mente e seu corpo estão passando por imenso estresse. Você precisa relaxar de vez em quando. Faça algo prazeroso todos os dias, e não se permita qualquer sentimento de culpa, pois sua saúde é importante.

DISTRAIA-SE:

Caminhe pela praia.
Abrace seus gatos.
Faça massagens.
Visite amigos.

Sono

No luto, você ficará preocupado com a falta de sono. A madrugada não sofre as interrupções da rotina e é um período valioso para trabalhar o luto. Permita-se fazer isso, pois ajudará a lidar com ele.

A redução do sono não lhe causará muitos problemas. Seu corpo se ajusta ao luto. Não há necessidade de tomar comprimidos para dormir. Estes podem até fazer mal, pois podem deixá-lo viciado se ingeridos com freqüência.

Procure desenvolver uma rotina pré-sono relaxante, para ajudálo a dormir. Ouça alguma música repousante, leia um livro agradável, tome um banho morno, beba um copo de leite morno com uma colherinha de mel. Também é útil valer-se de alguma técnica para relaxamento profundo. Exercícios durante o dia produzem cansaço físico à noite. Bons hábitos são a chave para bons padrões de sono.

A televisão põe a mente em estado de alerta, por isso evite-a antes de dormir. Lembre-se também que chá e café contém cafeína, que contribui para a insônia.

Se você perceber que não está dando conta de sua rotina diária em função da falta de sono, converse com seu médico.

SUGESTÕES PARA O SONO:

Exercício diário.
Música relaxante.
Leitura agradável.
Leite morno.
Banho morno.
Nada de cafeína.

Pesadelos

Podem surgir no começo, mas normalmente vão ficando menos freqüentes com o passar do tempo. Se persistirem, você pode procurar, se quiser, a ajuda de um terapeuta especializado em luto.

Álcool e drogas

Ambos obscurecem sua percepção da realidade e causam confusão. Embora seja tentador procurar alívio na bebida, os sentimentos associados ao luto podem piorar e você pode perder a capacidade de lidar com ele. Isso só irá retardar sua viagem para superar a perda.

Fumo

Algumas pessoas tentam aliviar o estresse por meio do fumo. Isso pode gerar um mau hábito, que depois será difícil de abandonar, além de ser prejudicial à saúde.

Medicação

Seria maravilhoso se a dor do luto pudesse ser resolvida com um comprimido. É comum os médicos receberem pedidos de "alguma coisa para enfrentar esse período".

Remédios não fazem mágica. São apenas uma cobertura, como uma bandagem, mas não cura. Alguns até retardam o processo de luto. Especialistas no assunto não recomendam o uso de vários medicamentos.

Todo remédio tem efeitos colaterais. Comprimidos que aliviam a dor podem fazer mal para o estômago. Sedativos, remédios para dormir e antidepressivos podem reduzir sua percepção e causar confusão mental.

No entanto, há medicamentos que são apropriados para o alívio de certas condições. Fale com seu médico. Ele pode recomendar e prescrever aquilo que é mais adequado para você.

Tosses e espirros

O sistema imunológico não funciona muito bem durante o luto. Você fica mais propenso a contrair infecções. Se você sucumbir a resfriados, procure descansar mais, beba bastante líquidos e tome comprimidos de paracetamol para ajudar ou reduzir o desconforto. Se achou que os sintomas são mais severos ou duram mais do que o normal, seu médico poderá recomendar o melhor caminho a seguir.

Concentração e esquecimentos

Você pode ter dificuldades para se concentrar em suas tarefas. Poderá achar que está ficando esquecido.

Você não está perdendo a cabeça: apenas está preocupado com as diversas emoções e tarefas relacionadas ao luto.

Registre por escrito as coisas que precisam ser lembradas; listas são úteis. Com o tempo, sua memória irá voltar.

Quando e por que visitar seu médico

- Logo após o suicídio.
- Isso lhe dará a oportunidade de discutir quaisquer formas de ajuda que sejam apropriadas e de tratar de problemas imediatos de

saúde. Também será útil para seu médico poder continuar a tratá-lo depois.

- Entre três e quatro meses depois.
- Geralmente, esse costuma ser um dos pontos baixos do luto. É bom discutir como passou esse período. Provavelmente, seu médico vai conferir sua pressão arterial e sua saúde de modo geral.
- Para avaliação de sintomas físicos.
- Caso você sofra sintomas físicos como infecções por mais do que alguns dias, deve consultar seu médico. Dores no peito e palpitações devem imediatamente ser motivo para consulta.
- Para ajuda prática.
- Seu clínico geral pode providenciar babás, entrega de refeições, a visita de uma assistente social e outras diversas formas de ajuda prática. Seu médico também pode fornecer atestados para justificar faltas em escolas ou no trabalho.
- Para obter apoio emocional e aconselhamento sobre o luto.
- Seu clínico geral pode ajudá-lo a enfrentar parte do luto. Se quiser ver o relatório do legista, seu médico pode solicitá-lo ao órgão competente e estudá-lo com você.

Alguns pontos práticos

O que dizer aos demais

Muitos acham extremamente difícil dizer aos outros a verdade sobre a causa da morte. As pessoas se sentem tentadas a apresentar outras razões. Pode parecer que essa estratégia alivia a vergonha inicial; a longo prazo, porém, aumenta o estresse, pois pode causar mais decepções. Quando a verdade vier à tona, haverá o problema de explicar a mentira original.

Talvez você queira apresentar uma declaração sobre a morte de seu ente querido em seu local de trabalho ou escola. Isso pode ser benéfico, útil, pois você informa várias pessoas ao mesmo tempo. É melhor uma frase simples, como "a morte foi causada por suicídio", sem entrar em detalhes sobre a forma.

As folhas de informações incluídas no final deste livro podem ser recortadas e entregues a amigos, o que o ajudará a falar do suicídio.

O que dizer às crianças

Talvez as crianças se sintam, de algum modo, responsáveis pelo suicídio e vão precisar de muita segurança e amor. Normalmente, eles percebem se alguém lhes oculta a verdade. Podem ainda ficar sabendo da história através de terceiros e se sentirão duplamente rejeitadas.

As crianças têm direito ao luto. Elas precisam da oportunidade de participar de todas as cerimônias formais, embora pareçam não compreendê-las.

De modo geral, os adultos ficam preocupados quando têm de dizer para jovens e crianças que um ente querido se matou. Ficam com a idéia de que pode parecer que estão dizendo que o suicídio é uma saída aceitável para situações extremamente difíceis.

Aproveite a oportunidade para dizer como e onde as crianças ou jovens podem buscar ajuda, caso necessitem. Dê-lhes informações objetivas. Diga-lhes também que você se sentiu triste, ou zangado. Deixe claro que é bom falar dessas emoções. Dê-lhes muito amor e apoio.

Bens pessoais

"Como gostaria de não ter jogado fora todas as coisas dela."

Durante o torvelinho inicial, é normal as pessoas se livrarem de todas as coisas tangíveis que lembrem a pessoa, porque dói vê-las e manuseá-las. Mais tarde, esses objetos podem ser muito reconfortantes.

Outras pessoas, por sua vez, apegam-se a todos os objetos de seu ente querido durante anos. Dar esses objetos no momento adequado pode ajudar você, de modo simbólico, a dizer adeus a seu ente querido.

Tomando decisões importantes

Muitas pessoas que mudam de casa, bairro ou cidade no início do luto acaba se arrependendo mais tarde. Normalmente, a decisão leva a novas perdas, como de amigos e apoios. É comum sentir que se deixou para trás a recordação do ente querido. Outras pessoas, porém, sentem-se aliviadas por se afastarem do local do suicídio. A decisão de mudar de casa deve ser tomada levando-se em conta possíveis perdas. Em geral, não é fácil prever essas perdas na época em que o luto está mais intenso. Por isso, é melhor adiar qualquer decisão importante até depois do primeiro aniversário.

Se possível, adie qualquer decisão importante para depois do primeiro aniversário.

Reconstruindo a unidade familiar

Você perdeu um membro da família, mas a unidade familiar ainda permanece. É difícil a adaptação a um grupo menor. Mas é importante fortalecer a família. Sugira jantares e saídas juntos; dê-se tempo e atenção para tornar especiais esses momentos, para que possam evocar lembranças significativas. Incentive sua família a participar dessa tomada de decisões.

Lidando com outros parentes, amigos e associados

Talvez essas pessoas também se sintam afetadas profundamente. Inclua-as em seu luto e elas irão ajudá-lo.

Lidando com o Natal e outras ocasiões

Você pode temer e querer evitar datas que antes eram festivas e alegres: Natal, aniversários, Dia das Mães, Páscoa, Dia das Crianças.

Essas ocasiões evocam momentos felizes que você passou com seu ente querido e enfatizam sua ausência. Geralmente, o pior período é aquele que antecede a data.

É comum preocupar-se com a maneira como você irá lidar com o dia em si e recear sua chegada. Mas, quase sempre, quando chega o dia, é um alívio.

Pode ser interessante passar os dias que antecedem a data planejando o que você irá fazer. Seja positivo quanto a isso. Discuta a ocasião com sua família. Você pode descobrir nessa data a força que a unidade familiar proporciona.

Dê-se tempo para pensar e falar de seu ente querido. Acenda uma vela, visite o túmulo, abra uma garrafa do vinho favorito da pessoa, toque a música de que ela gostava. Ela parecerá mais próxima e você irá gostar dos sentimentos trazidos por essas lembranças.

Datas festivas para os sobreviventes

Pergunte-se:
Como meu ente querido gostaria de me ver nessa ocasião?

____
____
____
____

O que posso fazer em memória de meu ente querido nessa data?

____
____
____
____

Lidando com o aniversário da morte

Trate-o do mesmo modo como você trata outros dias importantes. Planeje com antecedência. Discuta com sua família a melhor maneira de recordar seu ente querido. Procure ter alguém para conversar ou para lhe fazer companhia.

É comum que a sensação de perda e de luto se aprofundem nessa época. Logo depois, vem a sensação de liberação e a confiança crescente de que você conseguiu sobreviver um ano inteiro. Pode ser normal o retorno dessas emoções nos aniversários de morte seguintes, durante alguns anos.

O papel do legista

A função do legista varia de país para país e de estado para estado. Na Austrália, a legislação de todos os estados exige que mortes por causas não-naturais, inclusive aparentes suicídios, sejam reportados. A polícia investiga e documenta cada morte informada. O propósito é determinar a maneira, a causa e as circunstâncias que envolvem a morte.

Esse sistema tem uma função educativa e preventiva. O legista pode fazer recomendações que reduzem a probabilidade de ocorrer novamente um evento similar.

Relatórios médicos

Um patologista realiza um exame pós-morte para determinar a causa médica da morte.

Esse relatório pode ser fornecido a um parente próximo após a conclusão das investigações. Isso pode levar vários meses.

Cada estado tem sua política de acesso à informação. Em muitos, o relatório do legista ou um resumo deste pode ser enviado à família ou a um médico indicado (geralmente, o médico da família) mediante pedido.

O médico pode ajudar a família a lidar com os problemas e a explicar e discutir qualquer informação mais complexa. Qualquer pedido de relatório deve ser feito por escrito e encaminhado ao escritório do legista, fornecendo o nome e o endereço do médico ou da pessoa que está fazendo o pedido, bem como dados do falecido, inclusive a data da morte.

Aconselhamento e serviços de apoio do gabinete do legista

Cada estado tem sua política de serviços por parte do gabinete do legista, que podem incluir apoio (caso necessário), em especial no período imediatamente posterior à morte; informações sobre o sistema médico legal; informações referentes a alguma anotação registrada antes da morte. Mais informações podem ser obtidas entrando em contato com o gabinete de seu estado.

Algumas sugestões sobre negócios e finanças

"Durante os primeiros dias, eu me virei bem, e depois parece que tudo deu errado. Esqueci de pagar a prestação da casa e a conta de luz. E não fiz nada com a multa de trânsito e nem lembrei do licenciamento do carro..."

O problema é que talvez você não esteja em condições de organizar coisa alguma. Seus contatos financeiros não sabem de sua tragédia. O gerente do banco, por exemplo, precisa saber o que aconteceu e como isso afetou você. A menos que você se organize para lidar com seus compromissos financeiros até poder retornar a algo parecido com sua vida normal, pode se ver em maus lençóis com a eletricidade ou o telefone cortados, o banco procurando retomar seu carro, a hipoteca cancelada...

Se você não puder informar pessoalmente os credores e fornecedores, peça a um amigo, contador ou associado que o faça. Forneça detalhes sobre cada compromisso e pagamento de que se lembra. Peça que escrevam para as empresas explicando o motivo para eventuais irregularidades nos pagamentos. Isso vai lhe dar espaço para respirar, enquanto você se organiza melhor.

LISTA DE CONFERÊNCIA DE COMPROMISSOS

Energia elétrica
Gás
Aluguel ou prestação do imóvel
Empréstimos
Seguros
Telefone
Licenciamento do veículo
Impostos
Cartão de crédito
Prestações

____

____

____

Se precisar de tempo para organizar seus negócios, peça férias. Além disso, descubra qual o período de licença médica de que dispõe e use-o também. (Deixe um pouco de reserva para o caso de surgirem problemas inesperados).

Converse com seu médico sobre licença-saúde; ele pode dar um atestado.

Reserve um tempo a cada semana lendo sua correspondência para se assegurar de que qualquer assunto financeiro será tratado. Isso também ajuda o processo de cura e é um passo importante para mantê-lo em contato com a realidade.

Apólice de seguro contra perda de renda

Se você não conseguir trabalhar nos níveis normais, o que pode reduzir sua renda, pode se valer do seguro para se amparar. Você vai precisar de um atestado médico que indique a causa, como "luto intenso causando..." As companhias de seguros costumam ser críticas quanto à autenticidade da declaração, mas a maioria das apólices cobre esse risco.

Perda da principal fonte de renda

Se você perdeu o arrimo financeiro da família, procure um consultor financeiro. Peça recomendações a seus amigos. Poderá encontrar um contador com experiência nessa área telefonando para uma das entidades profissionais relacionadas nas páginas amarelas, por exemplo.

O gerente do seu banco pode ajudar. Há listas de consultores financeiros ou corretores de valores nas páginas amarelas. Dinheiro gasto em uma consultoria financeira pode trazer bastante economia no longo prazo.

Seguro de vida

Deve ser solicitado o pagamento. Mas, prepare-se, pois algumas empresas não pagam dependendo da forma como a pessoa morreu. Algumas excluem o suicídio da cobertura. É normal ficar com raiva da seguradora. Talvez ajude você a desabafar, mas a pessoa que atende ao telefone na empresa não está passando pelo luto e só está fazendo o seu trabalho!

Finalmente

Não tome decisões nessa época que alterem financeiramente a vida sem falar com um consultor financeiro.

Se tiver dúvidas a respeito de finanças nessa época traumática e solitária, prepare-se para passar a questão para um amigo ou consultor de confiança. Não ignore nada nessa área.

Você não está sozinho –

Alguns fatos sobre o suicídio

O suicídio sempre foi uma das maiores tragédias da sociedade. A cada ano, quase um milhão de pessoas se matam nos mais variados lugares do mundo. Estima-se que haja pelo menos 6 familiares e amigos próximos de cada pessoa que se suicida e que passam por luto intenso. Isso significa que a cada ano 6 milhões de pessoas sofrem por causa do suicídio.

São 4.500 suicídios por ano na Inglaterra e em Gales, mais de 30 mil por ano nos EUA e 2 mil na Austrália.

O índice de suicídio nos EUA, Canadá, Austrália e Nova Zelândia é o mesmo, ou seja, cerca de 13 a cada 100 mil pessoas. O índice é um pouco menor no Reino Unido. Alguns países, porém, têm um índice bem mais elevado. Na Hungria, por exemplo, o índice de suicídios é quatro vezes maior do que o desses países.

O índice de suicídio entre jovens é elevado na Austrália e Nova Zelândia e está aumentando na Grã-Bretanha. Na maioria dos países de língua inglesa, ocorre um pico na meia-idade e, exceto na Grã-Bretanha, um pico ainda maior entre os idosos.

No entanto, as estatísticas são subestimadas. A menos que se possa provar o suicídio, a morte é registrada como "acidental" ou "caso fortuito". Alguns casos de acidente automobilístico e de overdose podem ser suicídios, mas não são comprovados.

Na maioria dos países, o suicídio é uma das dez causas principais de morte e, entre os jovens, o suicídio e acidentes em estradas são as duas maiores causas.

Embora as mulheres tentem se matar com maior freqüência, o suicídio concluído é três vezes mais comum entre os homens.

FATOS SOBRE O SUICÍDIO:

1 milhão de suicídios no mundo a cada ano.
6 milhões de pessoas enlutadas no mundo a cada ano.
Mais freqüente entre os homens.
Ocorre em todas as classes sociais.

Foram identificados certos fatores de risco para o suicídio, mas são muitos e pouco específicos para se identificar com precisão aqueles que podem vir a se matar. Um especialista tentou prever quem se mataria dentre 4.800 pessoas que ele identificara como grupo de risco. Ele identificou incorretamente 1.200 como suicidas e também não acertou 33 que se mataram e identificou corretamente apenas 35 que se suicidaram.

Infelizmente, apesar de milhares de dólares gastos em pesquisas sobre o assunto, os progressos nas previsões são dolorosamente lentos.

Dados de estatísticas de suicídios no Brasil

Segundo a Dra. Alexandrina Meleiro, médica do Instituto de Psiquiatria do Hospital das Clínicas da USP, em uma entrevista concedida ao Dr. Dráuzio Varella, o suicídio é a sétima *causa mortis* na população adulta mundial. Em média, 2 mil pessoas suicidam-se diariamente no mundo. Nos Estados Unidos, são 30 mil suicídios por ano (quase 100 por dia). No Brasil, entre 1989 e 1998 os índices aumentaram e o Rio Grande do Sul possui os mais altos. No Japão, o número de suicídios aumentou em 2005, ultrapassando a marca de 30 mil casos pelo oitavo ano consecutivo.

Finalmente...

Talvez você tenha dificuldade para acreditar nisso agora, mas seu luto não permanecerá para sempre. Ele irá mudar à medida que lida com ele e você se sentirá mais à vontade com relação à sua perda. Se decidir, poderá sair dessa experiência como uma pessoa plena, integrando essa vivência em sua vida, tornando-a mais significativa para si mesmo e para os outros. Na verdade, a influência dessa pessoa querida ainda estará viva.

Sugestão de livros

James Hillman. *Suicídio e alma.* Rio de Janeiro, Vozes. Coleção Psicologia Analítica.

Valdemar Augusto Angerami-Camon. *Suicídio – Fragmentos de psicoterapia existencial.* São Paulo, Pioneira.

Émile Durkheim. *O suicídio: estudo de sociologia.* São Paulo, Martins Fontes.

Grupos de apoio

Prevenção ao suicídio

CVV – Centro de Valorização da Vida

A história da prevenção do suicídio (e da valorização da vida) no Brasil inclui necessariamente o CVV (Centro de Valorização da Vida), cujos trabalhos tiveram início em 1962, em São Paulo. Contando com 2.500 voluntários e 48 postos distribuídos pelo país, seus colaboradores voluntários atenciosamente colocam-se "à disposição de todos os que sentem solidão, angústia, desespero e desejam desabafar."

Site: http://www.cvv.org.br

Plantão de Atendimento Solidário de Botucatu – PASB

É uma entidade que presta apoio emocional gratuito e prevenção ao suicídio por meio de telefone ou pessoalmente para as pessoas que a procura.

Terminal Rodoviário de Botucatu, sala CE 2 - Diariamente das 14h às 23h (inclusive sábados, domingos e feriados)

Telefone: (14) 3882-2222

Diskardec – Serviço de Apoio Fraterno

Semelhante ao CVV e restrito à região de Ribeirão Preto-SP, esse grupo conta com voluntários dispostos a ouvir e auxiliar as pessoas.

Telefone: (16) 630-3232

Befrienders International

A Befrienders International é uma rede com centenas de centros de apoio mundialmente.

Estes postos são administrados por voluntários formados e oferecem um serviço gratuito sem julgar e que é completamente confidencial. Pode-se receber ajuda pelo telefone, pessoalmente, por carta ou por *e-mail*.

A Befrienders International estabeleceu-se em 1974. Agora tem postos-membros em 41 países e uma sede em Londres, na Inglaterra. Além de coordenar e desenvolver os trabalhos dos seus postos-membros mundialmente, a Befrienders International apoia e aconselha os postos novos e existentes e põe a sua perícia e experiência à disposição de outras organizações. Também administra programas para explorar novas formas para prevenir o suicídio.

Site: http://www.suicideinfo.org/portuguese/main.htm

Instituições que estudam a morte e o luto

Laboratório de Estudos Sobre a Morte – LEM, do Instituto de Psicologia da USP

Desenvolve estudos e pesquisas sobre o tema e presta assistência à comunidade. Realiza o projeto "Falando de morte", série de vídeos sobre o tema.

Av. Mello Moraes, 1.721, Cidade Universitária, São Paulo, SP, CEP 05508-900.

Telefone: (11) 3818-4185, ramais 31 e 33. Fax: (11) 3813-8895.
E-mail: mjkoarag@usp.br
Site: www.usp.br/ip/laboratorios/lem

Laboratório de Estudos Sobre o Luto – LELu, da PUC-SP

Ligado ao Programa de Pós-graduação de Psicologia Clínica, no Núcleo de Família e Comunidade, presta atendimento clínico, atua no ensino, incentiva pesquisas na graduação, no mestrado e no doutorado. Prestou apoio aos familiares e às vítimas da explosão do Shopping de Osasco e do acidente aéreo da TAM.

Rua Monte Alegre, 961, Perdizes, São Paulo-SP, CEP 05014-001.
Telefones: (11) 3670-8040/3670-8041
E-mail: clinpsic@pucsp.br
Site: www.pucsp.br/~clinpsic

4 Estações – Instituto de Psicologia

Presta atendimento clínico e atua no ensino.
Rua Caçapava, 130, Jd. Paulista, São Paulo-SP,
CEP 3486-9990.
Telefone: (11) 3486-9990
E-mail: info@4estacoes.com
Site: www.4estacoes.com

Núcleo de Estudos do Suicídio – NES

O núcleo é uma associação científica. Foi fundado em 1987 no Serviço de Psiquiatria do Hospital de Santa Maria (HSM), em Lisboa. Seus objetivos principais são, do ponto de vista científico, o estudo do suicídio, da tentativa de suicídio e dos comportamentos para-suicidas na adolescência, numa tripla perspectiva – individual, familiar e social – tendo em vista a divulgação, a formação e a prevenção do suicídio adolescente.

O NES visa também, primordialmente, receber e acompanhar, por meio de terapêuticas adequadas, jovens em risco de suicídio ou com forte ideação suicida.

Site: http://www.tu-importas.org/home/default.asp

Sobre o suicídio

O suicídio é uma grande tragédia. Quase 1 milhão de pessoas do mundo se mata a cada ano.

Não sabemos exatamente o que causa o suicídio. Pressões sociais e personalidade já foram arroladas como possíveis fatores. O suicídio causou a morte de muitos indivíduos moralmente conscientes, sensíveis, atenciosos e artísticos. Artistas, escritores e poetas de talento se mataram: Vincent van Gogh, Virginia Woolf, Tony Hancock e Adam Lindsay Gordon, entre outros. Será que o estresse da vida foi demasiado para essas almas sensíveis?

Há muito que os médicos perceberam que quase todos os que se mataram sofriam de alguma doença mental. Surgem evidências de causas físicas para tais doenças, bem como para o suicídio. Assim como a insulina do corpo é baixa na diabetes, a ponto de não conseguir regular o açúcar, antes do suicídio a serotonina – substância do cérebro – atinge um nível crítico.

Por isso, a mente não consegue controlar adequadamente os pensamentos. Essas mudanças podem estar relacionadas a um estresse severo.

Pode ser muito difícil perceber, na época, qualquer coisa de errado na pessoa, pois as mudanças de comportamento surgem gradualmente.

Portanto, o suicídio pode ser considerado a conseqüência de uma doença física que afeta o cérebro, embora possa haver a participação de fatores sociais e pessoais. Serão necessárias muitas pesquisas até se diagnosticar e impedir o suicídio com precisão.

Ajudando amigos e parentes enlutados pelo suicídio

Pessoas que perderam um ente querido pelo suicídio sentem-se muito feridas, confusas e solitárias. Elas também se sentem chocadas,

culpadas e rejeitadas. Essas emoções estarão presentes muito depois da cura do seu próprio luto. Provavelmente, você quer saber como poderá ajudá-las. Esta informação pode lhe servir de guia.

A notícia do suicídio pode chocá-lo muito e você e seu círculo de amigos e parentes podem ter dificuldade para lidar com ela. Talvez seja útil conversarem a respeito. Isso pode ajudá-lo a oferecer apoio ao amigo ou parente enlutado. Essa ajuda não vai fazer com que sua família corra o risco de ter outro suicídio. Há mais informações no livro de onde este folheto foi retirado. Peça-o emprestado a seu amigo ou parente.

Ajudando o enlutado

O que ajuda

Reservar um tempo de sua vida e escutar atentamente.

Deixar claro que a situação pela qual estão passando é normal.

Estimular a manifestação dos sentimentos à maneira de cada um.

Aceitar seu comportamento – choro, grito, silêncio, riso.

Mostrar simpatia – é a base de um relacionamento.

Procurar entender e aceitar essa pessoa. Cada pessoa é diferente de outra.

Permitir expressões como raiva, culpa. Reflita sobre o sentido de suas palavras. Deixar claro que você compreende o que estão dizendo.

Mostrar que o luto dura algum tempo para passar.

Manter contato pessoal ou por telefone. As visitas não precisam ser longas.

Abraçar quando julgar apropriado.

Falar da pessoa que morreu.

Incluir as crianças no luto familiar.

Permissão para tirar fotocópia

O que não ajuda

Evitar falar sobre a perda.
Inibir a pessoa oferecendo conselhos.
Dar sermões ou argumentação.
Esperar ou julgar como deveria ter sido.
Usar clichês.
Realizar falsos consolos.
Dizer "sei como você se sente".
Tentar fazer tudo no lugar da pessoa.
Tornar a perda algo trivial.
Comparar com outras perdas.
Descrever a teoria do luto.
Tirar o foco daquilo que estão dizendo.
Interpretar.
Incluir seus sentimentos na situação atual.
Deixar de lado a pessoa, se o fardo se tornar muito pesado.
Dar detalhes de seu luto.

National Association for Loss and Grief. Adaptado por permissão.

Ofereça:

um bom ouvido;
tempo para escutar;
um abraço carinhoso.

Mantenha contato.

Permissão para tirar fotocópia

Impresso nas oficinas da
Gráfica Palas Athena